RICARDO

La mijoteuse #2

Catalogage avant publication de Bibliothèque et Archives nationales du Québec et Bibliothèque et Archives Canada

Ricardo, 1967-
La mijoteuse 2
Comprend un index.
ISBN 978-2-89705-427-4
1. Cuisson lente à l'électricité. 2. Livres de cuisine. I. Titre.
TX827.R522 2015 641.5'884 C2015-941220-X

Présidente: Caroline Jamet
Directeur de l'édition: Jean-François Bouchard
Directrice de la commercialisation: Sandrine Donkers
Responsable gestion de la production: Carla Menza
Communications: Marie-Pierre Hamel
Collaborateur spécial: Éric Fourlanty
Correction d'épreuves: Anik C.-Malo

ÉQUIPE RICARDO
Auteur: Ricardo
Directrice cuisine: Kareen Grondin
Standardisation des recettes: Danielle Bessette, Lisa Birri, Étienne Marquis, Nicolas Cadrin et Karine Lapointe
Directrice de création: Sonia Bluteau
Directrices artistiques: Lydia Moscato et Ann-Sophie Cayouette
Directrice de studio: Paule Milette
Infographe: Émilie Beaudoin
Photographe: Christian Lacroix
Assistant photo: Pierre-Alain Faubert
Stylistes culinaires: Anne Gagné, Nataly Simard, Étienne Marquis et Laure Corten
Styliste acccessoires: Sylvain Riel
Illustrateur: Rodolphe Thuaud
Rédacteurs: Catherine Éthier et Catherine Perreault-Lessard
Réviseures linguistiques: Christine Dumazet et Gervaise Delmas
Chargée de projet: Julie Beauchemin

Présidente et directrice éditoriale: Brigitte Coutu
Éditrice: Marie-José Desmarais
Directrice marketing: Annie Langevin

L'éditeur bénéficie du soutien de la Société de développement des entreprises culturelles du Québec (SODEC) pour son programme d'édition et pour ses activités de promotion.

L'éditeur remercie le gouvernement du Québec de l'aide financière accordée à l'édition de cet ouvrage par l'entremise du Programme de crédit d'impôt pour l'édition de livres, administré par la SODEC.

Nous remercions le Conseil des arts du Canada de l'aide accordée à notre programme de publication.

Financé par le gouvernement du Canada
Funded by the Government of Canada

Canada

Dépôt légal — 4e trimestre 2015
ISBN 978-2-89705-427-4
Imprimé et relié au Canada

LES ÉDITIONS **LA PRESSE**
Les Éditions La Presse
7, rue Saint-Jacques
Montréal (Québec)
H2Y 1K9

Un deuxième livre *sur la mijoteuse?*

+++ Le premier livre, je l'ai un peu fait pour faire plaisir à Brigitte, ma femme, qui a vu bien avant moi ce que la mijoteuse empoussiérée de nos parents pouvait nous apporter. Et aussi pour tous ceux qui m'écrivaient en me demandant une façon de simplifier la préparation des repas.

Mais disons qu'après quatre ans à cuisiner les recettes du tome 1, j'avais pas mal de demandes pour renouveler le répertoire. Et quatre ans, c'était le temps dont j'avais besoin pour prendre du recul et arriver avec un lot de recettes qui me rendraient aussi heureux, sinon plus, que celles du premier livre.

Ce qu'il y a de nouveau dans ce tome ? C'est que, maintenant, je ne reçois plus à la mijoteuse, mais AUX mijoteuses. Je veux dire que j'utilise plus d'une mijoteuse en même temps. Par exemple, quand j'ai organisé une soirée tacos pour ma plus jeune, j'ai utilisé une mijoteuse pour le porc effiloché, une autre pour le bœuf et une troisième pour les haricots. Un vrai « *party* de mijoteuses ». J'ai repris la même idée pour un dîner d'affaires au bureau, où j'ai servi des mets indiens, et lors d'un souper d'avant-match avec les chums.

Mon équipe cuisine et moi avons aussi fait d'autres tests. On a essayé d'aller encore plus loin. On a découvert qu'on peut y cuisiner un cassoulet, du confit de canard et un renversé à l'ananas avec succès. Que les calmars et la joue de bœuf tirent avantage d'une longue cuisson à la mijoteuse. J'ai aussi eu le goût d'aller chercher des suggestions de vins pour les recettes qui sont parfaites pour recevoir.

Avec mes ados affamées qui ont chacune leur emploi du temps et mon horaire à moi qui est bien rempli, je constate plus que jamais que la mijoteuse est une solution à la conciliation travail-famille. Et que, bien des soirs, elle nous sauve la vie.

Une femme m'a même déjà raconté que la mijoteuse avait sauvé son mariage. Qui sait, s'il y avait plus de mijoteuses au Québec, peut-être que le taux de séparation diminuerait ? Bon, j'exagère peut-être. Mais chose certaine, que l'on soit novice ou expert en cuisine, en couple ou avec une famille, la mijoteuse est faite pour ceux et celles qui aiment bien manger sans se compliquer la vie. +++

RICARDO

Le sommaire

Réponses à *vos questions*

(CE QU'ON ME DEMANDE LE PLUS SOUVENT SUR LA MIJOTEUSE)

Depuis la publication du premier tome, on me pose des questions sur la mijoteuse presque chaque jour, dans la rue, par courriel ou sur les réseaux sociaux. L'avantage, avec un deuxième tome, c'est que je peux répondre!

01. DEVRAIS-JE ACHETER UNE MARQUE DE MIJOTEUSE EN PARTICULIER ?

Je ne recommande aucune marque précise. Mais vous devez quand même savoir une ou deux petites choses si vous prévoyez changer votre mijoteuse ou en acheter une deuxième (oui, vous verrez au chapitre « *Party* de mijoteuses » que je reçois avec deux et même trois mijoteuses). D'abord, privilégiez un format de 5,6 litres (6 pintes). C'est le modèle que j'ai utilisé pour mettre au point toutes les recettes du livre. Vous devez être en mesure de programmer le nombre d'heures désirées tant pour la température basse (*Low*) que pour la température haute (*High*), et ce, au moins jusqu'à 10 heures. Elle doit aussi inclure la fonction « Maintenir à réchaud » (*Warm*), très pratique pour maintenir vos repas chauds jusqu'à votre arrivée à la maison, ou si vous vous absentez, une fois la cuisson terminée. Ne payez pas pour des fonctions qui ne vous serviront probablement jamais, comme le thermomètre ou la double programmation. Optez pour un modèle de base.

02. QUELLE FORME DE MIJOTEUSE DEVRAIS-JE CHOISIR ? RONDE OU OVALE ?

Je préfère — et de loin — la mijoteuse de forme ovale. Elle est plus pratique pour faire cuire un poulet entier ou un jambon, par exemple. Les rondes sont plus anciennes et plus difficiles à trouver aujourd'hui. De plus, leurs éléments chauffaient beaucoup moins à l'époque, ce qui peut expliquer pourquoi tant de recettes pouvaient prendre huit heures et plus à cuire. Maintenant, on peut facilement s'en sortir avec quatre à six heures de cuisson seulement. On peut être nostalgiques des années 1970 pour le *peace and love*, mais certainement pas pour les mijoteuses de l'époque!

03. PUIS-JE DOUBLER UNE RECETTE ?

Oui, sans problème. Par contre, il y a deux choses que vous devez retenir. D'abord, le niveau de vos ingrédients ne doit jamais dépasser les trois quarts de votre mijoteuse. Ensuite, ne doublez surtout pas le temps de cuisson, parce que les recettes doublées ne prennent pas deux fois plus de temps à cuire. Ajoutez seulement une heure au temps de cuisson de départ.

04. PUIS-JE DIVISER UNE RECETTE ?

Si vous voulez diviser une recette parce que votre mijoteuse est plus petite, allez-y ! Par contre, si vous la divisez pour la faire cuire dans une mijoteuse de 5,6 litres (6 pintes), notre standard, divisez seulement la protéine (viande) et les légumes, mais pas la sauce ni le bouillon. La quantité de liquide est souvent primordiale pour une cuisson réussie.

05. LES RECETTES À LA MIJOTEUSE SE CONGÈLENT-ELLES ?

Tout à fait, et c'est là tout le bonheur de la mijoteuse. Vous pouvez cuisiner en grande quantité et congeler des portions pour plus tard. Par contre, certaines recettes supportent moins bien la congélation, comme l'omelette ou le saumon confit. Cela est bien indiqué dans les recettes. Pour le reste, vous avez ma bénédiction !

06. PEUT-ON FAIRE UNE RECETTE À LA MIJOTEUSE SANS MIJOTEUSE ?

En général, quand on peut faire une recette à la mijoteuse, on peut aussi la faire au four, dans une cocotte couverte à 150 °C (300 °F).

07. QUE PEUT-ON CUISINER À LA MIJOTEUSE ?

La mijoteuse convient bien à tout ce qui est cuit à l'étouffée, au bain-marie ou qui est mijoté, et elle fait des petits miracles pour attendrir les coupes de viande plus coriaces. Au moment de préparer un mijoté classique à la mijoteuse, vous devez réduire la quantité de liquide de moitié. Par exemple, un mijoté qui demande 1 litre (4 tasses) de bouillon va nécessiter seulement 500 ml (2 tasses) à la mijoteuse, parce qu'il n'y a pas d'évaporation dans l'appareil. À noter : les recettes avec des produits laitiers sont souvent décevantes.

08. SI JE PARS TRAVAILLER LE MATIN ET QUE JE REVIENS À LA MAISON LE SOIR, PUIS-JE FAIRE UNE RECETTE QUI DEMANDE SEULEMENT QUATRE HEURES DE CUISSON ?

Après quatre heures de cuisson, la mijoteuse se mettra automatiquement en mode réchaud (*Warm*). La plupart des recettes peuvent rester en mode réchaud une fois la cuisson achevée. Pour vous aider, il y a une pastille « *Warm* » à côté de toutes les recettes qui supportent bien le mode réchaud jusqu'au service, et l'information se trouve dans les recettes.

09. LES RECETTES DEMANDENT SOUVENT BEAUCOUP D'ÉPICES. SONT-ELLES TOUJOURS ABSOLUMENT NÉCESSAIRES ?

À vrai dire, oui. Consultez mon tiroir à épices aux pages 18 et 19. Ce sont mes 14 épices essentielles pour la mijoteuse. Certaines recettes peuvent sembler avoir beaucoup d'ingrédients, mais une fois que vous aurez ces épices à portée de main, vous pourrez cuisiner toutes les recettes du livre.

10. EST-IL PRÉFÉRABLE DE METTRE DES HERBES FRAÎCHES OU SÉCHÉES DANS LA MIJOTEUSE ?

Les herbes fraîches sont beaucoup plus intéressantes et apportent de la fraîcheur et de la saveur aux plats. On les ajoute en fin de cuisson seulement. Si vous n'en avez pas sous la main, utilisez des herbes séchées (comme l'origan) et ajoutez-les en début de cuisson.

11. DOIS-JE RETIRER LE GRAS DE LA VIANDE AVANT LA CUISSON ?

Le gras des viandes contient beaucoup de saveur ; vous pouvez en enlever, mais laissez-en quand même un peu, même si les viandes maigres s'attendrissent beaucoup pendant la cuisson à la mijoteuse. Le gras donne beaucoup de saveur au bouillon, aux sauces et aux jus de cuisson.

12. POURQUOI CERTAINES RECETTES CONTENANT DES PRODUITS LAITIERS SE GÂCHENT-ELLES SOUVENT À LA CUISSON ?

La très longue et douce cuisson de la mijoteuse favorise la séparation de la protéine laitière (la caséine), ce qui donne un résultat peu appétissant que je qualifierais de « caillé ». Pour cette raison, seules quelques recettes comportent du fromage (celles qui ont très peu de liquide comme la lasagne ; sinon on l'ajoute en fin de cuisson comme pour le pain de viande). Certains fromages industriels, comme le Velveeta, tolèrent la cuisson à la mijoteuse.

Le tiroir à épices que vous devez avoir

(POUR CUISINER TOUTES LES RECETTES DE CE LIVRE)

J'ai beau vous vanter les mérites de la mijoteuse, un de ses petits défauts, c'est qu'elle ne dore pas les aliments. C'est là que les épices jouent un rôle clé pour colorer et ajouter de la saveur.

LES DÉPANNEURS

À défaut d'aromates frais sous la main, la poudre d'ail, d'oignon ou les graines de céleri peuvent sauver la mise. N'hésitez pas à remplacer les poudres par des sels, mais allez-y à petites doses pour ne pas vous retrouver avec un plat trop salé.

poudre d'oignon

graines de céleri

poudre d'ail

LES PIMENTS EN POUDRE

Le paprika donne de l'éclat, mais il ne faut pas trop en mettre, au risque d'ajouter trop d'amertume.

paprika fumé

assaisonnement au chili

L'assaisonnement au chili est souvent utilisé en quantité considérable puisqu'elle apporte beaucoup de saveur sans être trop piquante.

Le poivre de Cayenne et les piments broyés sont parfaits quand on veut rapidement ajouter du piquant à une recette.

poivre de Cayenne

paprika

LES ÉPICES MOULUES OU EN GRAINS

Le curcuma ajoute une formidable couleur orangée et, en plus, c'est un puissant antioxydant. Mais ici aussi, il faut y aller mollo pour ne pas développer l'amertume.

Très polyvalente, la graine de coriandre n'est pas l'épice qui choque à la première bouchée, mais plutôt celle qui aide à bâtir des saveurs vraiment intéressantes.

Avec son goût unique, le cumin est l'épice de prédilection de plusieurs mets mexicains et indiens. Si vous aimez moins l'amertume et le goût prononcé du cumin, n'hésitez pas à l'ajouter en fin de cuisson.

curcuma moulu

coriandre moulue ou en grains

cumin moulu ou en grains

origan

LES HERBES SÉCHÉES

À l'exception de l'origan et du laurier, j'utilise rarement les herbes séchées dans les recettes à la mijoteuse parce que, en général, on en tire très peu de bénéfices. Je préfère ajouter des herbes fraîches, souvent en fin de cuisson.

LES MÉLANGES D'ÉPICES

Certains mélanges d'épices donnent beaucoup de goût et de profondeur aux sauces. C'est le cas du cari et du garam masala. Ce dernier est un mélange de poivre, clou de girofle, cannelle, muscade, cardamome et laurier, et il est très utilisé dans la cuisine indienne.

garam masala

poudre de cari

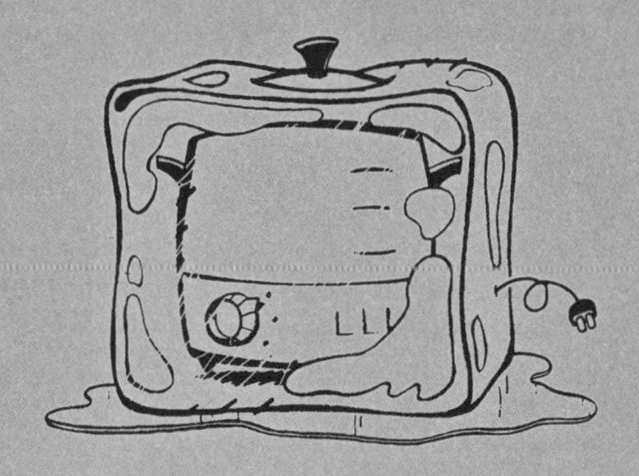

Prep, freeze and cook

(LA NOUVELLE TECHNIQUE QUE VOUS DEVEZ CONNAÎTRE)

Si vous êtes adepte de blogues culinaires américains, vous êtes sans doute au courant de cette tendance qui consiste à préparer des mets à l'avance pour les cuire plus tard. À l'achat de grosses quantités de viande ou pour cuire de grandes portions de légumineuses, c'est l'idéal. Dans de grands sacs à congélation, on congèle tous les éléments crus d'une recette. La veille, on laisse décongeler au réfrigérateur et puis on transvide dans la mijoteuse le matin, avant de partir travailler. Pour des questions de salubrité, il est important que les aliments soient totalement décongelés avant de les mettre dans la mijoteuse. Cela fonctionne à merveille pour vos chilis, le poulet teriyaki, l'effiloché de porc, le cari de lentilles, le pain de viande et le porc à la coriandre.

NOTE *S'il s'agit d'une recette avec de l'oignon, de l'oignon vert ou des échalotes, je vous conseille de les précuire dans l'huile ou simplement de les retirer de la recette, car leur saveur est altérée après la congélation. Tout mélange acide/alcalin ou tomate/lait de coco aura tendance à cailler après la congélation. Par contre, cela n'influencera pas sur la saveur.*

soupers de semaine

Ce qui arrive avec les lundis, c'est qu'ils reviennent vite. Les mardis aussi. Et là, je ne vous parle même pas des jeudis. C'est ici que la mijoteuse devient votre meilleure amie, parce que vous y penserez toute la journée. Vous ne penserez pas aux courses à faire après le travail. Ni à la montagne de légumes à hacher pour lancer le souper. Vous passerez plutôt votre journée à imaginer votre porc braisé aux dattes, votre sauce à spaghetti aux côtes levées ou votre poulet aux 40 gousses d'ail qui cuisent lentement, en attendant votre arrivée. Parce que cuisiner à la mijoteuse, c'est comme avoir un chef à la maison ; il n'est peut-être pas jasant, mais deux minutes après que vous ayez déposé vos clés sur le comptoir de la cuisine, il vous sert un repas chaud, savoureux et vraiment réconfortant.

Qu'est-ce qu'on mange pour souper ?

RECETTE P027

soupe *fagioli*

SOUPE *FAGIOLI*

Préparation 30 MINUTES ***Cuisson*** 6 H 30 ***Portions*** 8
Warm *JUSQU'À 8 HEURES ***Se congèle***

Cette soupe est un de mes grands coups de cœur dans ce livre. Elle est tellement généreuse qu'on a presque l'impression de manger une soupe d'enfance. Elle est parfaite pour les journées d'hiver où l'on a besoin d'un grand bol de réconfort. (Et pour travailler son accent italien, aussi!)

454 g (1 lb) de bœuf haché maigre
1 oignon, haché finement
2 gousses d'ail, hachées finement
30 ml (2 c. à soupe) d'huile d'olive
2 branches de céleri, coupées en dés
2 carottes, coupées en dés
1 boîte de 796 ml (28 oz) de tomates en dés
1 boîte de 540 ml (19 oz) de haricots rouges, rincés et égouttés
1,5 litre (6 tasses) de bouillon de poulet
1 croûte de fromage *parmigiano reggiano* (facultatif)
1 branche de thym frais
1 branche de basilic frais
60 g (1/2 tasse) de tubettis ou autres petites pâtes (macaronis, coquillettes)
Sel et poivre

1 Dans une poêle antiadhésive à feu moyen-élevé, dorer la viande, l'oignon et l'ail dans l'huile, en émiettant la viande à l'aide d'une cuillère de bois. Saler et poivrer. Transvider dans la mijoteuse.
2 Ajouter le reste des ingrédients, sauf les pâtes, et mélanger. Saler et poivrer. Couvrir et cuire à basse température (*Low*) 6 heures. *À cette étape, on peut maintenir à réchaud (*Warm*) jusqu'à 8 heures.
3 Régler la mijoteuse à haute température (*High*). Ajouter les pâtes, couvrir et cuire 30 minutes. Retirer la croûte de fromage. Rectifier l'assaisonnement.

POIVRONS FARCIS

Préparation 30 MINUTES *Cuisson* 4 HEURES *Portions* 4
Warm VOIR NOTE

S'il y a une recette qui se confie bien à un ado dévoué qui veut récompenser ses parents ou se faire pardonner quelque chose, c'est bien celle-ci.

4 poivrons de couleur
454 g (1 lb) de chair de saucisses italiennes (environ 4 saucisses)
1 petit oignon, haché
2 gousses d'ail, hachées
250 ml (1 tasse) de sauce tomate maison (voir sauce marinara p. 051)
ou du commerce
100 g (1/2 tasse) de riz à grains longs étuvé non cuit
30 ml (2 c. à soupe) d'aneth frais ciselé
30 ml (2 c. à soupe) de persil frais ciselé
5 ml (1 c. à thé) de sauce Worcestershire
35 g (1/2 tasse) de fromage *parmigiano reggiano* râpé
125 ml (1/2 tasse) d'eau
Sel et poivre

1 Sur un plan de travail, couper la calotte des poivrons afin de les épépiner. Au besoin, découper une fine tranche à la base des poivrons pour qu'ils se tiennent debout. Conserver la calotte des poivrons pour un autre usage. Réserver.
2 Dans un bol, mélanger la chair des saucisses, l'oignon, l'ail, la sauce tomate, le riz, les herbes et la sauce Worcestershire. Saler et poivrer.
3 Répartir le mélange de viande dans la cavité des poivrons. Déposer dans la mijoteuse. Parsemer les poivrons du parmesan et verser l'eau dans le fond de la mijoteuse.
4 Couvrir et cuire à basse température (*Low*) 4 heures.

NOTE *Vous pouvez maintenir à réchaud (*Warm*) jusqu'à 2 heures, mais les poivrons seront très fondants et pourraient se défaire.*

CHILI BLANC AUX HARICOTS ET AU POULET

Préparation 30 MINUTES *Cuisson* 4 H 30 *Portions* 6
Warm *JUSQU'À 4 HEURES *Se congèle* LE CHILI SEULEMENT

Quand je me lance dans un livre, ma femme Brigitte et moi testons et retestons toutes les recettes à la maison. Même si mes filles aiment beaucoup la mijoteuse, après quatre soirs d'affilée, des fois, elles feraient bien une petite pause… Mais elles ne me demanderont jamais de pause de chili blanc. Surtout pas Béatrice. Selon elle, je pourrais lui servir cette recette quatre soirs en ligne.

Chili blanc

675 g (1 1/2 lb) de hauts de cuisses de poulet désossés et sans la peau, coupés en cubes
1 oignon, haché finement
2 gousses d'ail, hachées
1 pot d'environ 450 ml (16 oz) de *salsa verde* du commerce
2 boîtes de 540 ml (19 oz) de haricots rognons blancs, rincés et égouttés
225 g (1 1/2 tasse) de grains de maïs surgelés
Sel et poivre

Garnitures

Croustilles de maïs
1 avocat, coupé en fins quartiers, légèrement citronné
Fromage mozzarella, râpé
Crème sure
1 lime, coupée en quartiers
Feuilles de coriandre fraîche, ciselées

1 POUR LE CHILI BLANC Dans la mijoteuse, mélanger tous les ingrédients sauf le maïs. Saler et poivrer.
2 Couvrir et cuire à basse température (*Low*) 4 heures. *À cette étape, on peut maintenir à réchaud (*Warm*) jusqu'à 4 heures (voir note).
3 Ajouter le maïs et poursuivre la cuisson 30 minutes, sans couvrir.
4 POUR LES GARNITURES Servir le chili dans des bols. Accompagner de croustilles, d'avocat, de fromage, de crème sure, de quartiers de lime et de coriandre.

NOTE *Si le chili semble trop épais, vous pouvez ajouter un peu de bouillon de poulet ou de l'eau.*

RECETTE P034

porc braisé aux dattes

RECETTE P035

grilled cheese de porc braisé aux dattes

PORC BRAISÉ AUX DATTES

Préparation 30 MINUTES *Cuisson* 8 HEURES *Portions* 8
Warm JUSQU'À 6 HEURES *Se congèle*

Voici une recette *winner*. Si vous la faites, vous verrez, tout le monde sera à l'heure à table pour le souper. Et croyez-moi, vous aurez autant de succès le lendemain, au moment de servir les restes en *grilled cheese*. S'il en reste.

30 ml (2 c. à soupe) de farine tout usage non blanchie
1,6 kg (3 1/2 lb) d'échine de porc (voir note)
30 ml (2 c. à soupe) de beurre
250 ml (1 tasse) de bouillon de poulet
60 ml (1/4 tasse) de moutarde à l'ancienne
760 g (4 tasses) de petites pommes de terre rattes
350 g (2 tasses) d'échalotes françaises, pelées
8 dattes Medjool, dénoyautées et coupées en cubes
Sel et poivre

1 Dans un grand bol, placer la farine. Ajouter la viande et bien enrober de la farine.
2 Dans une poêle à feu moyen-élevé, dorer le porc de tous les côtés dans le beurre. Saler et poivrer. Déposer dans la mijoteuse. Déglacer la poêle avec le bouillon et la moutarde. Transvider dans la mijoteuse.
3 Répartir les pommes de terre, les échalotes et les dattes autour de la viande. Couvrir et cuire à basse température (*Low*) 8 heures. On peut maintenir à réchaud (*Warm*) jusqu'à 6 heures.

NOTE *L'échine est la partie située en haut de l'épaule du porc. Étant composée de plusieurs muscles et de gras à l'intérieur du rôti, la viande est très tendre et savoureuse. On peut la remplacer par la même quantité d'épaule de porc désossée et sans la couenne.*

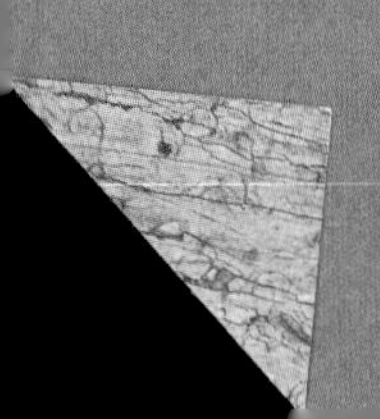

GRILLED CHEESE DE PORC BRAISÉ AUX DATTES

Préparation 10 MINUTES *Cuisson* 5 MINUTES *Portion* 1

Essayez le porc braisé aux dattes en *grilled cheese* et vous vous demanderez quel plat est venu en premier. C'est succulent, ça fond dans la bouche et ça permet de revivre le bonheur du souper de la veille. En fait, cette recette est un succès avec à peu près n'importe quelle viande qui sort de la mijoteuse.

2 tranches de pain de campagne
Beurre ramolli
10 ml (2 c. à thé) de moutarde à l'ancienne
55 g (2 oz) de fromage emmenthal, tranché
85 g (3 oz) de porc braisé aux dattes, égoutté et effiloché (p. 034)
30 ml (2 c. à soupe) de confiture d'oignons

1 Préchauffer un presse-panini ou une poêle antiadhésive.
2 Tartiner un côté des tranches de pain de beurre et l'autre côté de moutarde. Sur une tranche, du côté moutarde, déposer la moitié du fromage. Superposer la viande, la confiture d'oignons et le reste du fromage. Recouvrir de la deuxième tranche de pain, côté moutarde sur le fromage.
3 Griller jusqu'à ce que le fromage soit fondu.
4 Accompagner d'une salade verte ou de crudités.

RECETTE P038

sauce à spaghetti aux côtes levées

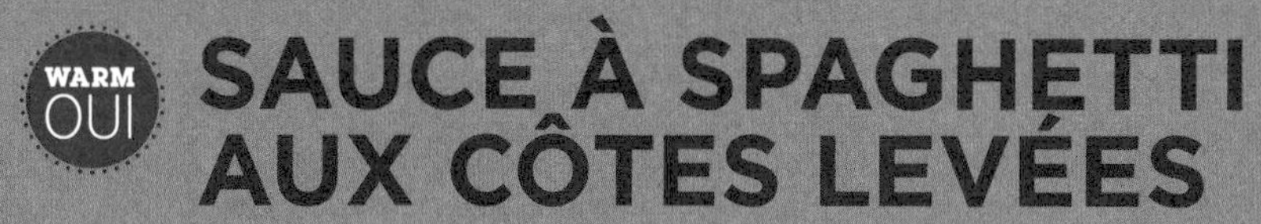

SAUCE À SPAGHETTI AUX CÔTES LEVÉES

Préparation 50 MINUTES ***Cuisson*** 8 HEURES ***Rendement*** 3 LITRES (12 TASSES)
Warm JUSQU'À 8 HEURES ***Se congèle***

Pourquoi faire cette sauce spaghetti quand celle que vous préparez depuis toujours à la cuisinière a du succès ? La réponse est simple: avec la mijoteuse, vous n'avez pas besoin de brasser ni de la veiller pendant trois heures. Ni d'essuyer les éclaboussures rouges autour de votre rond. En plus, vous serez certainement conquis par les côtes levées, qui ajoutent une superbe texture à la sauce.

340 g (3/4 lb) de chair de saucisses italiennes, douces ou piquantes (environ 3 saucisses)
30 ml (2 c. à soupe) d'huile d'olive
2 oignons, hachés finement
4 gousses d'ail, hachées finement
4 carottes, coupées en dés
4 branches de céleri, coupées en dés
1 boîte de 156 ml de pâte de tomates
2 boîtes de 796 ml (28 oz) de tomates italiennes entières, écrasées à la main
1 kg (2,2 lb) de côtes levées de dos, coupées en deux ou trois sections
10 ml (2 c. à thé) d'origan séché
Sel et poivre

1 Dans une grande poêle antiadhésive à feu moyen-élevé, dorer la chair à saucisse dans l'huile en l'émiettant avec une cuillère de bois. Transvider dans la mijoteuse.

2 Dans la même poêle à feu moyen, attendrir les oignons, l'ail, les carottes et le céleri. Ajouter de l'huile au besoin. Saler et poivrer. Ajouter la pâte de tomates et poursuivre la cuisson 1 minute en remuant. Transvider dans la mijoteuse.

3 Ajouter le reste des ingrédients et mélanger. Saler et poivrer. Couvrir et cuire à basse température (*Low*) 8 heures. On peut maintenir à réchaud (*Warm*) jusqu'à 8 heures.

4 Retirer les côtes levées de la sauce et laisser tiédir sur une assiette. Désosser les côtes levées et remettre la viande dans la sauce. Rectifier l'assaisonnement. Laisser tiédir et congeler si désiré.

NOTE *Si la sauce vous semble trop épaisse, vous pouvez ajouter du bouillon au moment de remettre la viande dans la sauce.*

POULET TERIYAKI

Préparation 25 MINUTES ***Cuisson*** 4 HEURES ***Portions*** 4 À 6
Warm JUSQU'À 4 HEURES

Certains sont sceptiques devant la saveur d'un plat asiatique à la mijoteuse ? Ils cherchent le wok ? Laissez-les faire. Ce sera encore chaud quand ils reviendront à table.

Poulet
125 ml (1/2 tasse) de sauce soya réduite en sel
60 ml (1/4 tasse) de bouillon de poulet
60 g (1/4 tasse) de cassonade légèrement tassée
35 g (3 c. à soupe) de tapioca à cuisson rapide
45 ml (3 c. à soupe) de ketchup
30 ml (2 c. à soupe) de vinaigre de riz
15 ml (1 c. à soupe) de gingembre frais haché
4 gousses d'ail, hachées
1 kg (2,2 lb) de hauts de cuisses de poulet désossés et sans la peau, coupés en lanières
Poivre

Garnitures
Riz basmati cuit
Brocoli, cuit
2 oignons verts, émincés
15 ml (1 c. à soupe) de graines de sésame

1 POUR LE POULET Dans la mijoteuse, mélanger la sauce soya, le bouillon, la cassonade, le tapioca, le ketchup, le vinaigre de riz, le gingembre et l'ail. Ajouter le poulet et bien enrober de la marinade. Poivrer.
2 Couvrir et cuire à basse température (*Low*) 4 heures. On peut maintenir à réchaud (*Warm*) jusqu'à 4 heures.
3 POUR LES GARNITURES Servir sur du riz et accompagner de brocoli. Garnir d'oignons verts et de graines de sésame.

NOTE *Le truc pour donner de la texture à la sauce dans ce plat: la petite quantité de tapioca minute qu'on a ajoutée.*

VOL-AU-VENT AU POULET

Préparation 30 MINUTES *Cuisson* 6 H 30 *Portions* 6
Warm *JUSQU'À 4 HEURES

Pot pie ou vol-au-vent ? Dans l'équipe, personne n'a réussi à trancher... parce que la garniture est vraiment celle d'un _pot pie_, mais elle est servie sur une pâte feuilletée de type vol-au-vent. Mais de toute façon, une fois qu'on y goûte, la question prend vite le bord!

2,5 ml (1/2 c. à thé) de paprika
1 ml (1/4 c. à thé) de flocons de piment broyés
1 ml (1/4 c. à thé) d'origan séché
675 g (1 1/2 lb) de hauts de cuisses de poulet désossés et sans la peau, coupés en dés
320 g (2 tasses) de pommes de terre rouges non pelées, coupées en dés
2 branches de céleri, coupées en dés
2 carottes, coupées en dés
1 oignon, haché
500 ml (2 tasses) de bouillon de poulet
35 g (1/4 tasse) de farine tout usage non blanchie
55 g (1/4 tasse) de beurre, ramolli
150 g (1 tasse) de petits pois surgelés
60 ml (1/4 tasse) de crème 35 %
6 vol-au-vent cuits du commerce
Sel et poivre

1 Dans la mijoteuse, mélanger le paprika, le piment et l'origan. Ajouter le poulet et bien l'enrober du mélange d'épices.
2 Ajouter les légumes et le bouillon. Saler, poivrer et bien mélanger.
3 Couvrir et cuire à basse température (*Low*) 6 heures. *À cette étape, on peut garder à réchaud (*Warm*) jusqu'à 4 heures.
4 Dans un bol, préparer le beurre manié : mélanger la farine et le beurre du bout des doigts.
5 Régler la mijoteuse à haute température (*High*). Ajouter le beurre manié, les petits pois et la crème en remuant. Couvrir et cuire 30 minutes.
6 Servir sur les vol-au-vent. Accompagner d'une salade verte.

SOUPE « CHOUCROUTE »

Préparation 30 MINUTES ***Cuisson*** 6 HEURES ***Portions*** 8
Warm JUSQU'À 4 HEURES

Vous avez passé la journée au ski. Mais ce qui est merveilleux, c'est que, pendant que vous perfectionniez votre chasse-neige sur les pentes, cette soupe cuisait lentement, libérant du même coup ses arômes de chou, de jambon et de pommes de terre dans votre chalet. C'est exactement ce qu'il vous fallait.

225 g (1/2 lb) de bacon, haché
1 oignon, émincé
2 gousses d'ail, hachées
15 ml (1 c. à soupe) d'huile d'olive
600 g (8 tasses) de chou vert, coupé en cubes
640 g (4 tasses) de pommes de terre rouges non pelées, coupées en dés
2 litres (8 tasses) de bouillon de poulet
30 ml (2 c. à soupe) de moutarde à l'ancienne
30 ml (2 c. à soupe) de vinaigre de vin blanc
Sel et poivre

1 Dans une grande poêle antiadhésive à feu moyen, dorer le bacon, l'oignon et l'ail dans l'huile. Transvider dans la mijoteuse. Ajouter le reste des ingrédients et mélanger. Saler, poivrer et mélanger.
2 Couvrir et cuire à basse température (*Low*) 6 heures. On peut maintenir à réchaud (*Warm*) jusqu'à 4 heures.
3 Servir avec une tranche de pain de campagne ou des saucisses grillées tranchées, si désiré.

RECETTE P046

RECETTE P046

nems de bœuf

NEMS DE BŒUF

Préparation 20 MINUTES ***Cuisson*** 4 HEURES ***Portions*** 6
Warm JUSQU'À 4 HEURES

Là, il faut s'enlever une chose de la tête: la mijoteuse ne sert pas juste en hiver! C'est un outil de travail indispensable toute l'année. Ici, je vous propose une recette de bœuf enroulé dans des feuilles de laitue tout en fraîcheur. Elle est géniale pour l'été.

Bœuf
30 ml (2 c. à soupe) de sauce soya
30 ml (2 c. à soupe) de sauce hoisin
30 ml (2 c. à soupe) de mirin
15 ml (1 c. à soupe) de farine tout usage non blanchie
10 ml (2 c. à thé) d'huile de sésame grillé
1 kg (2,2 lb) de bavette de bœuf, coupée en lanières de 1 cm (1/2 po) dans le sens contraire du grain
6 oignons verts, coupés en tronçons de 2 cm (3/4 po)
2 gousses d'ail, hachées
Sel et poivre

Garnitures
1 carotte, coupée en fine julienne
2 concombres libanais, coupés en fine julienne
45 ml (3 c. à soupe) de vinaigre de riz
5 ml (1 c. à thé) de sucre
85 g (3 oz) de vermicelles de riz (facultatif)
Feuilles de laitue Boston

1 POUR LE BŒUF Dans la mijoteuse, mélanger la sauce soya, la sauce hoisin, le mirin, la farine et l'huile de sésame au fouet.
2 Ajouter la viande, les oignons verts et l'ail. Saler, poivrer et mélanger. Couvrir et cuire à basse température (*Low*) 4 heures. On peut maintenir à réchaud (*Warm*) jusqu'à 4 heures, mais la viande devient très tendre et s'effiloche facilement. Transvider dans un plat de service.
3 POUR LES GARNITURES Dans un bol, mélanger la carotte, le concombre, le vinaigre et le sucre. Laisser macérer 10 minutes. Égoutter.
4 Dans une casserole d'eau bouillante, plonger les vermicelles. Retirer du feu et laisser reposer 3 minutes ou jusqu'à ce qu'ils soient tendres. Rincer à l'eau froide et égoutter.
5 Servir la viande au centre de la table, avec des feuilles de laitue et les légumes marinés. Laisser chacun garnir les feuilles de laitue avec de la viande, des légumes et des vermicelles de riz avant de les enrouler.

SOUPE TONKINOISE

Préparation 15 MINUTES **Cuisson** 8 H 15 **Portions** 4
Rendement 2 LITRES (8 TASSES) DE BOUILLON **Warm** *JUSQU'À 8 HEURES
Se congèle LE BOUILLON SEULEMENT

Avec sa longue cuisson et ses épices bien équilibrées, cette soupe tonkinoise deviendra vite un *must* dans votre menu de semaine. Pour lui donner plus de texture, vous pouvez y ajouter la moelle des os. Et si le cœur vous en dit, vous pouvez aussi l'utiliser comme bouillon de bœuf dans d'autres recettes.

Bouillon
675 g (1 1/2 lb) d'os de bœuf en tronçons d'environ 5 cm (2 po)
30 ml (2 c. à soupe) d'huile d'olive
5 ml (1 c. à thé) d'huile de sésame grillé
1 oignon, coupé en deux
1 morceau de 5 cm (2 po) de gingembre frais, coupé en deux
2 litres (8 tasses) d'eau
45 ml (3 c. à soupe) de sauce hoisin
30 ml (2 c. à soupe) de sauce soya
15 ml (1 c. à soupe) de sauce de poisson (nuoc-mam)
1 anis étoilé

Garnitures
2 paquets de 85 g de nouilles instantanées (voir note)
225 g (1/2 lb) de fines tranches de bœuf à fondue
150 g (2 tasses) de fèves germées
15 g (1/2 tasse) de feuilles de coriandre fraîche
2 oignons verts, émincés
1 lime, coupée en quartiers
Feuilles de basilic thaï, au goût
Sauce sriracha, au goût

1 POUR LE BOUILLON Dans une poêle antiadhésive à feu moyen-élevé, dorer les os dans les huiles 5 minutes. Retourner les os et ajouter l'oignon et le gingembre. Dorer jusqu'à ce que les os soient très caramélisés, voire presque brûlés. Transvider dans la mijoteuse.
2 Ajouter l'eau, les sauces et l'anis. Bien mélanger. Couvrir et cuire à basse température (*Low*) 8 heures. *À cette étape, on peut maintenir à réchaud (*Warm*) jusqu'à 8 heures.
3 POUR LES GARNITURES À l'aide d'une écumoire, retirer les os, l'oignon, le gingembre et l'anis du bouillon. Régler la mijoteuse à haute température (*High*). Ajouter les nouilles et cuire 15 minutes ou jusqu'à ce qu'elles soient tendres.
4 Ajouter le bœuf en séparant les tranches. Remuer.
5 Servir dans des bols et garnir de fèves germées, de coriandre et d'oignons verts. Accompagner d'un quartier de lime, de basilic thaï et d'un trait de sauce sriracha.

NOTE *Les nouilles instantanées sont vendues en sac d'une portion (la plupart de 85 g) avec un petit sachet de saveur, qu'on n'ajoute pas à la soupe ici.*

RECETTE P047

bouillon pour la soupe tonkinoise

RECETTE P047

soupe tonkinoise

PAIN DE VIANDE AUX CHAMPIGNONS ET AU CHEDDAR

Préparation 30 MINUTES ***Cuisson*** 4 H 15 ***Portions*** 6
Warm *JUSQU'À 8 HEURES

Avant de faire un pain de viande à la mijoteuse dans notre premier livre, on avait des doutes... Mais plus maintenant. Cette recette à base de champignons est notre deuxième et elle est tout aussi savoureuse. En plus, comme elle contient des pommes de terre, vous avez un repas complet. Ajoutez juste un petit légume d'accompagnement.

1 petit oignon, coupé en quartiers
1 gousse d'ail, coupée en deux
225 g (8 oz) de champignons blancs
454 g (1 lb) d'un mélange de bœuf, de veau et de porc haché
1 œuf
25 g (2 c. à soupe) de riz à grains longs étuvé non cuit
15 ml (1 c. à soupe) de sauce Worcestershire
100 g (1 tasse) de fromage cheddar râpé
400 g (2 tasses) de pommes de terre grelots
250 ml (1 tasse) de coulis de tomates ou de sauce tomate
Sel et poivre

1 Au robot culinaire, hacher l'oignon et l'ail. Ajouter les champignons et actionner l'appareil quelques secondes à la fois pour que les légumes soient hachés finement. Transvider dans un grand bol.
2 Y ajouter les viandes, l'œuf, le riz, la sauce Worcestershire et la moitié du fromage (1/2 tasse). Saler, poivrer et bien mélanger.
3 Former un pain d'environ 25 x 8 cm (10 x 3 po) avec le mélange de viande. Déposer dans la mijoteuse. Répartir les pommes de terre grelots autour du pain de viande et recouvrir du coulis de tomates.
4 Couvrir et cuire à basse température (*Low*) 4 heures. *À cette étape, on peut maintenir à réchaud (*Warm*) jusqu'à 8 heures.
5 Saupoudrer la viande du reste du fromage (1/2 tasse). Couvrir et laisser fondre 15 minutes.

SAUCE MARINARA

WARM OUI

Préparation 30 MINUTES *Cuisson* 8 HEURES *Rendement* 1,5 LITRE (6 TASSES)
Warm JUSQU'À 4 HEURES *Se congèle*

Cette sauce marinara est parfaite pour préparer des aubergines ou des escalopes de veau *parmigiana*, ou encore pour être servie sur des courges spaghetti ou des pâtes.

1 oignon, haché
4 gousses d'ail, hachées
2 carottes, râpées
45 ml (3 c. à soupe) d'huile d'olive
2 boîtes de 796 ml (28 oz) de tomates entières San Marzano, écrasées à la main
10 g (1/4 tasse) de basilic frais ciselé
Sel et poivre

1 Dans une poêle antiadhésive à feu moyen, attendrir l'oignon, l'ail et les carottes dans l'huile 5 minutes. Transvider dans la mijoteuse. Ajouter les tomates. Saler, poivrer et mélanger.
2 Couvrir et cuire à basse température (*Low*) 8 heures. On peut maintenir à réchaud (*Warm*) jusqu'à 4 heures.
3 Ajouter le basilic. Rectifier l'assaisonnement.

RECETTE P054

porc *adobo*

PORC *ADOBO*

Préparation 30 MINUTES **Cuisson** 6 HEURES **Portions** 6
Warm JUSQU'À 6 HEURES **Se congèle**

***Adobo*, ça veut dire quoi? C'est une méthode de cuisson philippine. En gros, on laisse mijoter la viande ou le poisson dans une marinade à base de vinaigre et d'ail. Cette technique convient parfaitement à la mijoteuse. Comme il y a très peu d'évaporation à l'intérieur de l'appareil... cette recette est parfaite puisque les ingrédients forts en saveurs (comme le vinaigre, l'ail et la sauce soya) qu'on y retrouve ne perdent pas de leur intensité.**

60 g (1/4 tasse) de cassonade légèrement tassée
60 ml (1/4 tasse) de sauce soya
60 ml (1/4 tasse) de vinaigre blanc
2 feuilles de laurier
1 rôti de 1,4 kg (3 lb) d'épaule de porc désossée et sans la couenne
30 ml (2 c. à soupe) d'huile d'olive
2 oignons, émincés
2 gousses d'ail, hachées
30 ml (2 c. à soupe) de gingembre frais haché
Sel et poivre

1 Dans la mijoteuse, mélanger la cassonade, la sauce soya, le vinaigre et le laurier.
2 Dans une poêle antiadhésive à feu moyen-élevé, dorer la viande dans l'huile de tous les côtés. Saler et poivrer. Déposer dans la mijoteuse.
3 Dans la même poêle à feu moyen-élevé, dorer les oignons, l'ail et le gingembre 5 minutes. Ajouter de l'huile au besoin. Transvider dans la mijoteuse.
4 Couvrir et cuire à basse température (*Low*) 6 heures. On peut maintenir à réchaud (*Warm*) jusqu'à 6 heures.
5 Servir avec une purée de pommes de terre et un légume vert.

POULET AUX 40 GOUSSES D'AIL

Préparation 30 MINUTES *Cuisson* 6 HEURES *Portions* 4 À 6
Warm JUSQU'À 4 HEURES

Quarante gousses d'ail? Tout à fait. N'ayez pas peur, chacune d'entre elles a sa raison d'être et enveloppe le poulet (ainsi que la maison) d'un parfum réconfortant et vraiment invitant. Un beau classique français à revisiter ou à découvrir.

6 cuisses de poulet avec la peau
30 ml (2 c. à soupe) d'huile d'olive
125 ml (1/2 tasse) de vin blanc (voir note)
250 ml (1 tasse) de bouillon de poulet
40 gousses d'ail, non pelées
2 branches d'estragon frais ciselé
6 tranches de pain de campagne, grillées
Sel et poivre

1 Dans une grande poêle à feu moyen, dorer les cuisses de poulet, côté peau, dans l'huile. Saler et poivrer. Déposer dans la mijoteuse. Déglacer la poêle avec le vin blanc et laisser réduire 1 minute. Transvider dans la mijoteuse. Y ajouter le bouillon, l'ail et une branche d'estragon.
2 Couvrir et cuire à basse température (*Low*) 6 heures. On peut maintenir à réchaud (*Warm*) jusqu'à 4 heures.
3 Ciseler les feuilles de la deuxième branche d'estragon.
4 Servir le poulet avec une purée de pommes de terre, si désiré. Arroser du jus de cuisson. Parsemer le poulet de l'estragon. Accompagner d'une tranche de pain grillée, sur laquelle vous pouvez écraser l'ail confit, en le faisant sortir de sa gousse.

NOTE *On peut remplacer le vin blanc par la même quantité de bouillon de poulet.*

LE CLUB
PARTY

party de mijoteuses

Qui a dit que recevoir était stressant ? Bon, à peu près tout le monde. Mais la mijoteuse peut vraiment transformer votre façon de recevoir votre *gang*. Préparer un *party* avec trois mijoteuses, c'est impressionnant et ça va faire jaser la parenté ! Vos invités apportent souvent une bouteille de vin, alors pourquoi ne pas leur demander d'apporter leur mijoteuse ? C'est convivial, ça fait gagner du temps et, en plus, tout le monde mange chaud, même les placoteux dans le salon. Ça donne aussi un petit coup de jeune aux fameux *potlucks,* où l'on finit souvent par apporter une salade ou des pâtés, faute d'idées. Et comme la préparation des repas est toute simple, ça permet de concentrer l'énergie à dresser la table, à passer l'aspirateur et à commenter le ménage de la chambre des ados. Une soirée « apportez votre mijoteuse », un *hit* garanti.

Pour organiser un *party* de mijoteuses, choisissez l'un des quatre menus de ce chapitre: tacos, indien, avant-match ou brunch. Vous pouvez emprunter des mijoteuses à vos amis quelques jours avant le *party*. Vous aurez besoin de trois mijoteuses au total pour pouvoir préparer tous les plats de chaque menu. Le jour J, gardez-les à *Warm*, jusqu'à l'arrivée des invités et pendant le *party*. Vous pouvez aussi demander aux invités d'apporter leur mijoteuse: un peu à la manière d'un *potluck*, tout le monde arrive avec une partie du menu. Chacun d'entre eux cuisine alors un plat à la maison et le garde à *Warm*, jusqu'au moment de partir. Il débranche ensuite la mijoteuse afin de la transporter et la rebranche à *Warm* une fois arrivé au *party* (à moins qu'ils ne s'apprêtent à faire le voyage Montréal-Beauce!).

Puis, il ne reste qu'à préparer les petits plats qui ne se cuisinent pas à la mijoteuse, mais qui donnent beaucoup de fraîcheur et font de superbes à-côtés.

Party de tacos

Il n'y a pas un ado qui sait résister à l'appel du taco, alors imaginez-le devant trois mijoteuses pleines de garnitures bien chaudes! Au porc, au bœuf effiloché ou aux haricots noirs (c'est gagnant d'avoir un plat végé), le taco à la mijoteuse est toujours un vif succès.

À LA MIJOTEUSE

EN ACCOMPAGNEMENT

« UNE MIJOTEUSE, C'EST BIEN. MAIS TROIS, C'EST MIEUX ! »

UNE MIJOTEUSE POUR LE PORC
TOUT EN FRAÎCHEUR

UNE POUR LE BŒUF
ET SA SALSA GOÛTEUSE

ET UNE POUR PLAIRE À CEUX
QUI AIMENT MANGER VÉGÉ

SALSA ET GUACAMOLE
FAITS MAISON

FROMAGE ASSAISONNÉ

PORC À LA CORIANDRE

Préparation 25 MINUTES *Cuisson* 8 HEURES *Portions* 8
Warm JUSQU'À 8 HEURES *Se congèle*

Vous trouverez peut-être que 4 tasses de coriandre, c'est beaucoup. Je vous l'accorde, mais c'est nécessaire pour donner au porc tout ce goût et cette fraîcheur! Et ne jetez surtout pas les tiges de la botte de coriandre; c'est là qu'on retrouve le plus de saveur.

150 g (4 tasses) de coriandre fraîche (tiges et feuilles)
4 oignons verts, coupés en tronçons
1 piment jalapeño, épépiné
45 ml (3 c. à soupe) de jus de lime
30 ml (2 c. à soupe) d'huile de canola
5 ml (1 c. à thé) de cumin moulu
1 rôti de 1,6 kg (3 1/2 lb) d'épaule de porc désossée et sans la couenne, coupée en 4 à 6 morceaux
125 ml (1/2 tasse) de bouillon de poulet
Sel et poivre

1 Au robot culinaire, hacher finement la coriandre, les oignons verts, le piment, le jus de lime, l'huile et le cumin. Saler et poivrer.

2 Dans la mijoteuse, déposer les morceaux de porc et les enrober du mélange de coriandre. Ajouter le bouillon.

3 Couvrir et cuire à basse température (*Low*) 8 heures. On peut maintenir à réchaud (*Warm*) jusqu'à 8 heures.

4 Retirer la viande et le jus de cuisson de la mijoteuse. Effilocher la viande en prenant soin de retirer le gras. Rectifier l'assaisonnement. Remettre dans la mijoteuse ou dans un plat de présentation avec un peu du jus de cuisson.

5 Déposer la viande au centre de la table avec les accompagnements et les garnitures (p. 073).

NOTE *Pour obtenir 1,6 kg (3 1/2 lb) d'épaule de porc désossée et sans couenne, prévoyez un morceau d'au moins 1,8 kg (4 lb) avec os et couenne.*

tacos garnis

BŒUF À LA SALSA

Préparation 25 MINUTES ***Cuisson*** 8 HEURES ***Portions*** 8
Warm JUSQU'À 8 HEURES ***Se congèle***

Alors là, avec cette recette de garniture à taco, vous n'avez aucune raison de vous tromper: il y a seulement quatre ingrédients (y compris le sel et le poivre).

1,6 kg (3 1/2 lb) de palette de bœuf désossée, coupée en 4 à 6 morceaux
1 pot d'environ 450 ml (16 oz) de salsa moyenne
Sel et poivre

1 Dans la mijoteuse, déposer les morceaux de bœuf et enrober de salsa. Saler et poivrer. Couvrir et cuire à basse température (*Low*) 8 heures. On peut maintenir à réchaud (*Warm*) jusqu'à 8 heures.
2 Retirer la viande et le jus de cuisson de la mijoteuse. Effilocher la viande en prenant soin de retirer le gras. Rectifier l'assaisonnement. Remettre dans la mijoteuse avec un peu du jus de cuisson.
3 Déposer la viande au centre de la table avec les accompagnements et les garnitures (p. 073).

PURÉE DE HARICOTS NOIRS OU *REFRIED BEANS*

Préparation 20 MINUTES *Cuisson* 8 HEURES *Portions* 6
Warm JUSQU'À 8 HEURES *Se congèle*

Un petit taco végé entre deux tacos de viande, c'est toujours bon. Ici, on fait cuire les haricots deux fois pour qu'ils deviennent extrêmement tendres. C'est pour cette raison qu'on les appelle aussi haricots refrits (*refried beans*).

720 g (4 tasses) de haricots noirs cuits (voir note)
375 ml (1 1/2 tasse) de bouillon de légumes (ou de poulet)
1 oignon, haché
1 piment jalapeño, épépiné et haché
2 gousses d'ail, hachées
2,5 ml (1/2 c. à thé) de cumin moulu
Sel et poivre

1 Dans la mijoteuse, mélanger tous les ingrédients. Saler et poivrer.
2 Couvrir et cuire à basse température (*Low*) 8 heures. On peut maintenir à réchaud (*Warm*) jusqu'à 8 heures.
3 À l'aide d'un pilon à pommes de terre, écraser les haricots. Rectifier l'assaisonnement. Déposer au centre de la table avec les accompagnements et les garnitures.

NOTE *Bien que, pour cette recette, nous préférons les haricots noirs secs que nous avons cuits au préalable (**voir p. 133**), vous pouvez aussi utiliser 2 boîtes de 540 ml (19 oz) de haricots noirs, rincés et égouttés. Pour obtenir 720 g (4 tasses) de haricots noirs cuits, il faut environ 300 g (1 1/2 tasse) de haricots noirs secs.*

Pour servir avec les tortillas souples ou rigides, on prépare les trois accompagnements ci-dessous et on ajoute de la crème sure, de la laitue iceberg ciselée, de dés de tomate, des quartiers de lime et de la sauce piquante.

GUACAMOLE

Préparation 15 MINUTES ***Rendement*** 250 ML (1 TASSE)

3 avocats mûrs
30 ml (2 c. à soupe) de jus de lime
10 g (1/4 tasse) de coriandre fraîche, ciselée (facultatif)
1 oignon vert, haché finement
Sauce Tabasco verte, au goût
Sel et poivre

1 Dans un bol, à l'aide d'une fourchette, écraser la chair des avocats avec le jus de lime.
2 Ajouter le reste des ingrédients. Saler, poivrer et bien mélanger. Servir ou couvrir d'une pellicule de plastique et réfrigérer jusqu'au moment de servir.

FROMAGE ASSAISONNÉ

Préparation 5 MINUTES ***Rendement*** 200 G (2 TASSES)

200 g (2 tasses) de fromage mozzarella râpé
5 ml (1 c. à thé) d'assaisonnement au chili
5 ml (1 c. à thé) de paprika

1 Dans un bol, mélanger tous les ingrédients.
2 Réfrigérer jusqu'au moment de servir.

SALSA RAPIDE

Préparation 15 MINUTES ***Rendement*** 1 LITRE (4 TASSES)

1 petit oignon, coupé en quartiers
1 piment jalapeño, épépiné
1 gousse d'ail, coupée en deux
30 g (1 tasse) de coriandre fraîche
1 boîte de 796 ml (28 oz) de tomates en dés
30 ml (2 c. à soupe) de jus de lime
2,5 ml (1/2 c. à thé) de cumin moulu
Sel et poivre

1 Au robot culinaire, hacher l'oignon, le piment, l'ail et la coriandre.
2 Ajouter les tomates, le jus de lime et le cumin. Mélanger de nouveau jusqu'à ce que la salsa ait la texture désirée avec des morceaux plus ou moins gros. Saler et poivrer. Réfrigérer jusqu'au moment de servir.
3 La salsa se conserve 2 semaines au réfrigérateur.

Buffet indien

Vous dites aux amis que vous préparez un festin indien. Imaginez si vous ajoutez que tout sera fait à la mijoteuse; vous les achevez. Bon, vous n'y cuirez peut-être pas de pain naan, mais vous créerez tout un effet avec votre poulet au beurre et votre cari d'agneau ou de lentilles.

À LA MIJOTEUSE

POULET AU BEURRE p078
CARI ROUGE D'AGNEAU p082
CARI DE LENTILLES ET DE COURGE p083

EN ACCOMPAGNEMENT

SAUCE À LA CORIANDRE p081
PILAF À L'INDIENNE p081

LE POULET AU BEURRE : UN CLASSIQUE INDIEN QUI SURPREND EN MIJOTEUSE

PILAF À
L'INDIENNE
LA PETITE SAUCE À LA
CORIANDRE QUI CHANGE
TOUT... UN *MUST* AVEC
LE CARI D'AGNEAU
LE CARI QUI DONNE
ENVIE DE MANGER
PLUS DE LENTILLES

POULET AU BEURRE

Préparation 40 MINUTES ***Cuisson*** 4 HEURES ***Portions*** 8
Warm JUSQU'À 4 HEURES

Avec sa consistance crémeuse, son mélange d'épices et ses noix de cajou broyées qui ajoutent à la texture, ce poulet au beurre fait toujours beaucoup d'heureux. Surtout lorsqu'on le sert avec du pain naan. Remarquez, tout ce qui est servi avec un pain naan est un succès garanti chez nous. Vos enfants n'aiment pas le brocoli ? C'est parce que vous ne l'avez jamais enroulé dans un pain naan!

25 g (3 c. à soupe) de farine tout usage non blanchie
15 ml (1 c. à soupe) de garam masala
5 ml (1 c. à thé) de cumin moulu
5 ml (1 c. à thé) de poudre de cari
1,4 kg (3 lb) de hauts de cuisses de poulet désossés et sans la peau, chacun coupé en 4 morceaux
65 g (1/2 tasse) de noix de cajou
1 oignon, haché
4 gousses d'ail, hachées
1 piment jalapeño, épépiné et haché
15 ml (1 c. à soupe) de gingembre frais haché
2 tomates, épépinées et coupées en dés
180 ml (3/4 tasse) de crème 35 %
30 ml (2 c. à soupe) de pâte de tomates
180 ml (3/4 tasse) de yogourt grec nature
Feuilles de coriandre fraîche, au goût
Sel et poivre

1 Dans la mijoteuse, mélanger la farine et les épices. Ajouter le poulet et bien enrober du mélange de farine.
2 Au petit robot culinaire ou au mortier, broyer finement les noix de cajou.
3 Ajouter les noix et le reste des ingrédients dans la mijoteuse, sauf le yogourt et la coriandre. Saler, poivrer et mélanger. Couvrir et cuire à basse température (*Low*) 4 heures. On peut maintenir à réchaud (*Warm*) jusqu'à 4 heures.
4 Au moment de servir, ajouter le yogourt et bien mélanger. Garnir de feuilles de coriandre. Accompagner de riz pilaf à l'indienne (p. 081), de quartiers de lime et de pain naan.

SAUCE À LA CORIANDRE

Préparation 20 MINUTES *Rendement* 500 ML (2 TASSES)

150 g (4 tasses) de coriandre fraîche (tiges et feuilles)
4 oignons verts, coupés en tronçons
2 gousses d'ail, coupées en deux
1 piment jalapeño, épépiné
15 ml (1 c. à soupe) de gingembre frais haché grossièrement
2,5 ml (1/2 c. à thé) de cumin moulu
60 ml (1/4 tasse) d'huile de canola
60 ml (1/4 tasse) d'eau
30 ml (2 c. à soupe) de jus de lime
1 tomate, épépinée et coupée en petits dés
Sel et poivre

1 Au robot culinaire, réduire en purée la coriandre, les oignons verts, l'ail, le piment, le gingembre et le cumin.
2 Transvider dans un bol. Ajouter l'huile, l'eau, le jus de lime et la tomate. Saler, poivrer et bien mélanger.
3 Servir avec le cari rouge d'agneau (p. 082), le cari de lentilles et de courge (p. 083) ou le poulet au beurre (p. 078).

PILAF À L'INDIENNE

Préparation 20 MINUTES *Cuisson* 20 MINUTES *Portions* 6

345 g (1 1/2 tasse) de riz basmati
1 oignon, haché finement
30 ml (2 c. à soupe) d'huile d'olive
1 gousse d'ail, hachée finement
3 gousses de cardamome
1 clou de girofle
1 feuille de laurier
1 bâton de cannelle de 5 cm (2 po)
750 ml (3 tasses) d'eau
Sel et poivre

1 Dans un bol, déposer le riz et le couvrir d'eau froide. Rincer le riz jusqu'à ce que l'eau devienne claire. Bien égoutter.
2 Dans une casserole à feu moyen-élevé, dorer l'oignon dans l'huile. Ajouter l'ail, les épices et le riz. Saler et poivrer. Poursuivre la cuisson à feu moyen, en remuant environ 1 minute ou jusqu'à ce que le riz commence tout juste à coller dans le fond de la casserole. Ajouter l'eau. Remuer et porter à ébullition.
3 Couvrir et cuire à feu doux environ 12 minutes ou jusqu'à ce que le riz soit tendre. Retirer du feu et laisser reposer 5 minutes.

CARI ROUGE D'AGNEAU

Préparation 50 MINUTES *Cuisson* 4 HEURES *Portions* 6
Warm JUSQU'À 8 HEURES *Se congèle*

Vous trouverez peut-être qu'on y va fort avec toute notre liste d'épices... mais elles sont vraiment essentielles pour le cari rouge. Et si vous vous montez un tiroir d'épices à partir de la sélection que je vous propose aux pages 18 et 19, vous verrez qu'elles feront vite partie intégrante de votre cuisine.

Pâte de cari
45 ml (3 c. à soupe) de pâte de tomates
30 ml (2 c. à soupe) de vinaigre de riz
30 ml (2 c. à soupe) de gingembre frais haché
30 ml (2 c. à soupe) de farine tout usage non blanchie
15 ml (1 c. à soupe) d'assaisonnement au chili
5 ml (1 c. à thé) de graines de coriandre
2,5 ml (1/2 c. à thé) de graines de cumin
2,5 ml (1/2 c. à thé) de graines de moutarde
3 gousses d'ail, pelées
1 clou de girofle
Sel et poivre

Cari
1,6 kg (3 1/2 lb) d'épaule d'agneau dégraissée et désossée, coupée en cubes
30 ml (2 c. à soupe) d'huile d'olive
360 g (2 tasses) de pommes de terre grelots, coupées en deux
125 ml (1/2 tasse) de bouillon de poulet

1 POUR LA PÂTE DE CARI Au petit robot culinaire, réduire tous les ingrédients en purée. Saler et poivrer. Réserver.
2 POUR LE CARI Dans une grande poêle à feu moyen-élevé, dorer la moitié des cubes d'agneau à la fois dans l'huile. Transvider dans la mijoteuse.
3 Ajouter les pommes de terre, la pâte de cari et le bouillon dans la mijoteuse. Bien mélanger. Couvrir et cuire à basse température (*Low*) 4 heures. On peut maintenir à réchaud (*Warm*) jusqu'à 8 heures.
4 Servir avec la sauce à la coriandre (p. 081) pour un savoureux repas.

CARI DE LENTILLES ET DE COURGE

Préparation 15 MINUTES *Cuisson* 6 HEURES *Portions* 6 À 8
Warm JUSQU'À 8 HEURES

Fait à partir de deux types de lentilles, ce cari offre beaucoup de texture et une grande richesse grâce aux épices qui se mêlent les unes aux autres durant la cuisson. Mon seul conseil: ne mélangez pas les ingrédients la veille, parce que vous pourriez avoir de petites surprises avec le lait de coco. Celui-ci tend à se séparer sous l'effet de l'acidité des tomates.

750 ml (3 tasses) de bouillon de légumes
1 boîte de 398 ml (14 oz) de tomates en dés
1 boîte de 398 ml (14 oz) de lait de coco
200 g (1 tasse) de lentilles vertes sèches, rincées et égouttées
95 g (1/2 tasse) de lentilles rouges sèches, rincées et égouttées
280 g (2 tasses) de courge Butternut, pelée, épépinée et coupée en dés
1 oignon, haché
1 piment jalapeño, épépiné et haché
5 ml (1 c. à thé) d'assaisonnement au chili
1 ml (1/4 c. à thé) de cumin moulu
1 ml (1/4 c. à thé) de coriandre moulue
1 ml (1/4 c. à thé) de curcuma moulu
Sel et poivre

1 Dans la mijoteuse, mélanger tous les ingrédients. Saler et poivrer. Couvrir et cuire à basse température (*Low*) 6 heures. On peut maintenir à réchaud (*Warm*) jusqu'à 8 heures.

2 Servir avec du pain naan.

Party d'avant-match

Qu'on soit sportif ou qu'on ne regarde que le spectacle de la mi-temps du Super Bowl, on ne s'en sort pas sans l'incontournable *pulled pork,* des pilons de poulet et de la trempette au fromage jaune-orange pour nachos (et beaucoup de serviettes en papier). En passant, si vous recevez avec ce menu, pas besoin de mettre toutes les mijoteuses sur la table du salon!

À LA MIJOTEUSE

EN ACCOMPAGNEMENT

1642

PILONS DE POULET MOUTARDE ET MIEL

Préparation 20 MINUTES **Cuisson** 3 HEURES **Portions** 4
Warm JUSQU'À 2 HEURES **Se congèlent**

Les pilons moutarde et miel, c'est une belle solution de rechange aux ailes de poulet, et ils se gardent facilement 2 heures à réchaud (*Warm*) pendant que vous regardez le match. Ne faites pas le saut; il n'y a pas beaucoup de liquide dans les ingrédients, c'est tout à fait normal. Ça ne collera pas. Sinon, promis, je viendrai chez vous pour récurer votre mijoteuse.

60 ml (1/4 tasse) de moutarde de Dijon
60 ml (1/4 tasse) de miel
15 ml (1 c. à soupe) de sauce Worcestershire
15 ml (1 c. à soupe) de vinaigre de cidre
15 ml (1 c. à soupe) d'assaisonnement au chili
1 pincée de poivre de Cayenne
12 pilons de poulet sans la peau
30 ml (2 c. à soupe) d'huile d'olive
Sel et poivre

1 Dans la mijoteuse, mélanger la moutarde, le miel, la sauce Worcestershire, le vinaigre, l'assaisonnement au chili et le poivre de Cayenne. Réserver.
2 Dans une grande poêle antiadhésive à feu moyen-élevé, dorer la moitié des pilons à la fois dans l'huile. Saler et poivrer. Déposer dans la mijoteuse et bien enrober du mélange de moutarde.
3 Couvrir et cuire à basse température (*Low*) 3 heures. On peut maintenir à réchaud (*Warm*) jusqu'à 2 heures, mais la viande devient très tendre et se détache très facilement de l'os.

FIERS REMPLAÇANTS
DES TRADITIONNELLES
AILES DE POULET

LA SALADE DE CHOU :
INCONTOURNABLE DEVANT
UN MATCH, ELLE LANCE ET
COMPTE À TOUT COUP !

ET BIEN SÛR, LA
TREMPETTE CHAUDE...
PARCE QU'IL EN FAUT
BIEN UNE
LE PORC QUI SE DÉFAIT
À LA FOURCHETTE

EFFILOCHÉ DE PORC BARBECUE

WARM OUI

Préparation 40 MINUTES ***Cuisson*** 8 HEURES ***Portions*** 8 À 10
Warm JUSQU'À 8 HEURES ***Se congèle***

Le *pulled pork* a la cote. Mais c'est quoi au juste ? C'est en fait une épaule de porc cuite à basse température pendant plusieurs heures, si bien que la viande s'effiloche à la fourchette. Le porc est imbibé de jus et de sauce, et le résultat n'est jamais sec: du grand, grand bonheur. La première fois qu'on a testé cette recette, c'était pour le *party* de Noël de Ricardo Media. Des mijoteuses pour 75 personnes, c'était impressionnant à voir! Mais ce qui est encore plus impressionnant, c'est la vitesse à laquelle ça s'est mangé.

Porc
15 ml (1 c. à soupe) de cassonade
5 ml (1 c. à thé) de sel
15 ml (1 c. à soupe) d'assaisonnement au chili
5 ml (1 c. à thé) de poivre moulu
2,5 ml (1/2 c. à thé) de poudre d'oignon
2,5 ml (1/2 c. à thé) de poudre d'ail
1,6 kg (3 1/2 lb) d'échine ou d'épaule de porc désossée et sans la couenne, coupée en 4 à 6 morceaux
250 ml (1 tasse) d'eau

Sauce barbecue
15 ml (1 c. à soupe) d'assaisonnement au chili
5 ml (1 c. à thé) de poudre d'oignon
2,5 ml (1/2 c. à thé) de poudre d'ail
30 ml (2 c. à soupe) de beurre
125 ml (1/2 tasse) de ketchup
125 ml (1/2 tasse) de vinaigre de cidre
125 ml (1/2 tasse) de confiture d'abricots
60 ml (1/4 tasse) de moutarde jaune
15 ml (1 c. à soupe) de sauce Worcestershire
15 ml (1 c. à soupe) de mélasse
Sel et poivre

1 POUR LE PORC Dans la mijoteuse, mélanger la cassonade, le sel et les épices. Ajouter les morceaux de viande et bien frotter la marinade sèche sur toutes les surfaces. Verser l'eau dans le fond de la mijoteuse.

2 Couvrir et cuire à basse température (*Low*) 8 heures. On peut maintenir à réchaud (*Warm*) jusqu'à 8 heures.

3 Retirer la viande de la mijoteuse. Jeter le jus de cuisson. Effilocher la viande en prenant soin de retirer le gras. Rectifier l'assaisonnement. Transvider dans un plat de service ou dans la mijoteuse.

4 POUR LA SAUCE BARBECUE Dans une petite casserole, faire revenir les épices dans le beurre 1 minute. Ajouter le reste des ingrédients. Porter à ébullition et laisser mijoter de 10 à 15 minutes ou jusqu'à ce que la sauce soit sirupeuse. Saler et poivrer.

5 Ajouter la sauce barbecue à la viande effilochée et bien mélanger.

6 Servir avec des pains à hamburger et accompagner de tranches de cornichons à l'aneth et de salade de chou (p. 093).

RECETTE P091

effiloché de porc barbecue

SALADE DE CHOU

Préparation 20 MINUTES ***Rendement*** 1 LITRE (4 TASSES)

340 g (4 tasses) de chou vert émincé finement à la mandoline ou au robot culinaire
1 carotte, coupée en fine julienne
1 pomme non pelée, épépinée et coupée en fine julienne
1 oignon vert, haché finement
30 ml (2 c. à soupe) de mayonnaise
15 ml (1 c. à soupe) de jus de citron
Sel et poivre

1 Dans un bol, mélanger tous les ingrédients.
2 Servir avec les pilons de poulet moutarde et miel (p. 086) ou l'effiloché de porc barbecue (p. 091).

SAUCE AU FROMAGE ET À LA VIANDE POUR NACHOS

Préparation 25 MINUTES ***Cuisson*** 2 HEURES ***Portions*** 6 À 8
Warm JUSQU'À 2 HEURES ***Se congèle***

Regarder du sport à la télé, ça ne se fait pas sans trempette au fromage. Et je parle ici de la fameuse trempette au fromage jaune-orange. Rien d'autre. Vous l'ignorez peut-être, mais la mijoteuse est parfaite pour préparer ce classique pour nachos. Elle reste chaude toute la soirée, mais en fait, elle disparaît avant que vous ayez eu le temps de voir le fond du sac de croustilles.

454 g (1 lb) de bœuf haché maigre
1 oignon, haché
15 ml (1 c. à soupe) de beurre
15 ml (1 c. à soupe) d'assaisonnement au chili
5 ml (1 c. à thé) de cumin moulu
125 ml (1/2 tasse) de bière blonde
454 g (1 lb) de fromage Velveeta, coupé en cubes
1 boîte de 398 ml (14 oz) de tomates en dés
1 piment jalapeño, épépiné et haché finement
Sel et poivre
Croustilles de maïs, pour le service

1 Dans une grande poêle antiadhésive à feu moyen-élevé, dorer la viande et l'oignon dans le beurre. Ajouter les épices et cuire 2 minutes. Saler et poivrer. Déglacer avec la bière. Transvider dans la mijoteuse.
2 Ajouter le reste des ingrédients et mélanger. Couvrir et cuire à basse température (*Low*) 2 heures. On peut maintenir à réchaud (*Warm*) jusqu'à 2 heures.
3 Bien mélanger avant de servir, directement dans la mijoteuse. Accompagner de croustilles de maïs.

Brunch

J'aime inviter pour le brunch. On mange, on jase et tout le monde est reparti au milieu de l'après-midi. Mais me lever à 5 h du matin pour m'assurer que tout est prêt à temps, ce n'est pas mon genre. Si c'est aussi votre cas, la mijoteuse est votre meilleure alliée. En empruntant plusieurs mijoteuses, vous pouvez presque tout préparer la veille. Le jambon, les petites patates assaisonnées et le gruau cuisent pendant la nuit, alors que l'omelette se prépare facilement le matin.

JAMBON D'UNE TENDRETÉ
IMBATTABLE À LA MIJOTEUSE

L'OMELETTE QUI GARDE TOUTE
SA TEXTURE, MÊME SI VOUS LA
FAITES PATIENTER

LES PETITES PATATES
QUI RENDENT
COMPLÈTEMENT ACCRO

GRUAU IRLANDAIS AUX AMANDES, SIROP D'ÉRABLE À LA CANNELLE

Préparation 10 MINUTES *Cuisson* 3 HEURES *Portions* 8
Warm JUSQU'À 2 HEURES (VOIR NOTE)

L'avoine découpée, aussi appelée avoine irlandaise, écossaise ou *steel-cut*, est faite de grains entiers, coupés en petits morceaux. Elle a un goût de noisette et nécessite un temps de cuisson plus long que les flocons d'avoine plats. Si vous préparez cette recette la veille, lisez la note ci-dessous.

Gruau
180 g (1 tasse) de flocons d'avoine découpée
1 litre (4 tasses) de boisson d'amandes non sucrée
1 ml (1/4 c. à thé) de cannelle moulue

Sirop d'érable à la cannelle
125 ml (1/2 tasse) de sirop d'érable
1 pincée de cannelle moulue

Garniture
85 g (1/2 tasse) d'amandes grillées, concassées

1 POUR LE GRUAU Dans la mijoteuse, mélanger l'avoine, la boisson d'amandes et la cannelle. Couvrir et cuire à basse température (*Low*) 3 heures. On peut maintenir à réchaud (*Warm*) jusqu'à 2 heures.
2 POUR LE SIROP D'ÉRABLE À LA CANNELLE Dans une petite casserole, porter à ébullition le sirop d'érable et la cannelle. Retirer du feu.
3 Servir le gruau chaud avec le sirop d'érable à la cannelle et les amandes grillées.

NOTE *Si vous préparez la recette la veille pour le lendemain matin, ajoutez 500 ml (2 tasses) d'eau à la préparation. Vous pourrez ainsi la maintenir à réchaud (*Warm*) jusqu'à 8 heures.*

jambon aux pommes et à la moutarde

RECETTE P104

JAMBON AUX POMMES ET À LA MOUTARDE

Préparation 15 MINUTES *Cuisson* 10 HEURES *Portions* 10
Warm JUSQU'À 8 HEURES

La mijoteuse, c'est le meilleur outil pour faire cuire un jambon. Cela lui permet de s'attendrir lentement dans le bouillon. Le jus de cuisson devient très salé mais on peut très bien le réutiliser pour cuisiner des pommes de terre bouillies.

1 jambon fumé dans l'épaule avec os d'environ 3 kg (6 1/2 lb)
30 ml (2 c. à soupe) de moutarde à l'ancienne
30 ml (2 c. à soupe) de miel
2 pommes, épépinées et coupées en quartiers (facultatif)
750 ml (3 tasses) de jus de pomme
Eau

1 Retirer le filet du jambon. Déposer le jambon dans la mijoteuse, la couenne vers le haut. Badigeonner le jambon avec la moutarde et le miel. Répartir les pommes tout autour du jambon.
2 Ajouter le jus de pomme. Couvrir d'eau froide jusqu'à 5 cm (2 po) du rebord de la mijoteuse.
3 Couvrir et cuire à basse température (*Low*) 10 heures ou jusqu'à ce que le jambon se défasse à la fourchette. On peut maintenir à réchaud (*Warm*) jusqu'à 8 heures.
4 Retirer le jambon de la mijoteuse puis l'émincer ou le défaire en morceaux.

OMELETTE SOUFFLÉE AUX CHAMPIGNONS

Préparation 25 MINUTES ***Cuisson*** 2 HEURES ***Portions*** 6 À 8
Warm JUSQU'À 1 HEURE

Cette omelette-là est parfaite pour recevoir. Pas besoin de courir d'un bord et de l'autre dans la cuisine pour servir des œufs à la visite. En plus, l'omelette reste à la bonne température, et chacun se sert à sa guise.

Garniture
225 g (8 oz) de champignons blancs, tranchés finement
1 oignon, émincé
40 g (3 c. à soupe) de beurre
Sel et poivre

Omelette
35 g (1/4 tasse) de farine tout usage non blanchie
5 ml (1 c. à thé) de poudre à pâte
2,5 ml (1/2 c. à thé) de sel
10 œufs
375 ml (1 1/2 tasse) de lait
100 g (1 tasse) de fromage suisse râpé

1 POUR LA GARNITURE Dans une grande poêle antiadhésive à feu élevé, dorer les champignons et l'oignon dans le beurre. Saler et poivrer. Réserver.
2 Beurrer l'intérieur de la mijoteuse.
3 POUR L'OMELETTE Dans un bol, mélanger la farine, la poudre à pâte et le sel. Ajouter les œufs et bien mélanger à l'aide d'un fouet jusqu'à ce que la préparation soit homogène. Incorporer le lait. Ajouter le mélange de champignons et la moitié du fromage (1/2 tasse). Poivrer.
4 Transvider dans la mijoteuse. Saupoudrer avec le reste du fromage (1/2 tasse). Couvrir et cuire à basse température (*Low*) 2 heures ou jusqu'à ce que l'omelette soit bien gonflée. On peut maintenir à réchaud (*Warm*) jusqu'à 1 heure.

NOTE *Pour faire une* frittata *à servir froide, après avoir beurré la mijoteuse, tapisser le fond d'une bande de papier parchemin en le laissant dépasser des deux côtés. Une fois que la* frittata *est cuite, passer une lame de couteau là où il n'y a pas de papier parchemin. Retirer de la mijoteuse. Laisser tiédir et réfrigérer. Manger avec une salade verte ou en sandwich.*

RECETTE P105

omelette soufflée aux champignons

POMMES DE TERRE DÉJEUNER

Préparation 10 MINUTES ***Cuisson*** 8 HEURES ***Portions*** 6
Warm 4 HEURES

Ici, l'inspiration vient des petites patates rissolées qu'on nous sert au resto et qu'on aime tant manger avec nos œufs. Le beurre et les épices donnent toute la saveur et la couleur qu'on aime, sans parler de leur texture presque croustillante.

1,4 kg (8 tasses) de grosses pommes de terre rouges, non pelées, coupées en cubes de 5 cm (2 po)
40 g (3 c. à soupe) de beurre, fondu
5 ml (1 c. à thé) de paprika
5 ml (1 c. à thé) d'assaisonnement au chili
5 ml (1 c. à thé) d'origan séché
2,5 ml (1/2 c. à thé) de poudre d'oignon
Sel et poivre

1 Dans la mijoteuse, déposer les pommes de terre. Arroser avec le beurre. Ajouter les épices et bien mélanger pour enrober les pommes de terre. Saler et poivrer généreusement.
2 Couvrir et cuire à basse température (*Low*) 8 heures. On peut maintenir à réchaud (*Warm*) jusqu'à 4 heures.

végé inspiré

La cuisine savoureuse, accessible et sans viande fait tous les jours de plus en plus d'adeptes. Toutes les raisons sont bonnes pour diminuer notre consommation de viande : pour notre santé, notre portefeuille, l'environnement... Mais si j'ai voulu faire un chapitre sur ce type de cuisine, c'est d'abord et avant tout parce que c'est bon, nourrissant et satisfaisant. Et si ce n'est pas suffisant pour convaincre les plus réticents, rien ne vous empêche d'ajouter un petit morceau de viande ou de poisson grillé. Évitez juste de dire le mot « végétarien », et tout le monde sera content.

La mijoteuse sans viande

RECETTE P.115

Frittata aux légumes

FRITTATA AUX LÉGUMES

WARM
OUI

Préparation 30 MINUTES **Cuisson** 3 HEURES **Portions** 8
Warm JUSQU'À 1 HEURE

Ce qui est bien avec cette recette, c'est qu'on peut avoir le meilleur des deux mondes. Une omelette, le soir même. Et le lendemain, une *frittata*, qu'on peut manger froide en sandwich.

30 ml (2 c. à soupe) de farine tout usage non blanchie
5 ml (1 c. à thé) de poudre à pâte
2,5 ml (1/2 c. à thé) de sel
10 œufs
375 ml (1 1/2 tasse) de lait
95 g (4 tasses) de bébés épinards, hachés
140 g (2 tasses) de petits bouquets de brocoli
2 grosses tomates, épépinées et coupées en dés
2 oignons verts, émincés
100 g (1 tasse) de fromage mozzarella râpé
20 g (1/4 tasse) de fromage *parmigiano reggiano* râpé
10 g (1/4 tasse) de basilic frais ciselé
Poivre

1 Beurrer le récipient de la mijoteuse et tapisser le fond d'une bande de papier parchemin en le laissant dépasser de deux côtés.
2 Dans un bol, mélanger la farine, la poudre à pâte et le sel. Ajouter les œufs et bien mélanger à l'aide d'un fouet jusqu'à ce que la préparation soit homogène. Incorporer le lait. Ajouter les légumes et la moitié du fromage mozzarella (1/2 tasse). Poivrer et bien mélanger. Transvider dans la mijoteuse. Parsemer du reste de la mozzarella (1/2 tasse) et du parmesan.
3 Couvrir et cuire à basse température (*Low*) 3 heures. On peut maintenir à réchaud (*Warm*) jusqu'à 1 heure.
4 Passer une lame de couteau là où il n'y a pas de papier parchemin. Retirer la *frittata* de la mijoteuse. Parsemer du basilic.
5 Servir chaud, tiède ou froid.

SLOPPY JOE DE HARICOTS

Préparation 30 MINUTES ***Cuisson*** 6 HEURES ***Portions*** 6
Warm JUSQU'À 6 HEURES ***Se congèle*** LA GARNITURE SEULEMENT

Le *Sloppy Joe*, c'est une version du hamburger sans boulette que l'on peut manger aussi avec un couteau et une fourchette. Et c'est une recette qui fait plaisir aux enfants. Comme ils seront bien occupés à finir leur assiette, ils n'auront même pas le temps de se rendre compte qu'ils mangeaient végé.

2 oignons, hachés
2 gousses d'ail, hachées
1 poivron rouge, épépiné et coupé en dés
1 piment jalapeño, épépiné et haché
30 ml (2 c. à soupe) d'huile d'olive
15 ml (1 c. à soupe) d'assaisonnement au chili
5 ml (1 c. à thé) de moutarde sèche
2,5 ml (1/2 c. à thé) de cumin moulu
60 ml (1/4 tasse) de pâte de tomates
250 ml (1 tasse) de bouillon de légumes
1 boîte de 540 ml (19 oz) de haricots noirs, rincés et égouttés
1 boîte de 540 ml (19 oz) de haricots rouges, rincés et égouttés
250 ml (1 tasse) de sauce chili
15 ml (1 c. à soupe) de sauce Worcestershire
6 pains à hamburger, grillés
100 g (1 tasse) de fromage cheddar fort râpé
Sel et poivre

1 Dans une grande poêle antiadhésive à feu moyen-élevé, attendrir les oignons, l'ail, le poivron et le piment dans l'huile. Ajouter les épices et cuire 1 minute en remuant. Ajouter la pâte de tomates et cuire 1 minute en remuant. Déglacer avec le bouillon. Porter à ébullition et transvider dans la mijoteuse.

2 Ajouter les haricots et les sauces. Saler, poivrer et bien mélanger. Couvrir et cuire à basse température (*Low*) 6 heures. On peut maintenir à réchaud (*Warm*) jusqu'à 6 heures.

3 Au moment de servir, garnir généreusement la base des pains du mélange de haricots et de fromage. Couvrir du pain.

RECETTE P120

soupe de tofu aigre-piquante

SOUPE DE TOFU AIGRE-PIQUANTE

Préparation 30 MINUTES ***Cuisson*** 8 HEURES ***Portions*** 6
Warm *JUSQU'À 6 HEURES

Si vous n'avez jamais dégusté de soupe aigre-piquante (*hot and sour*), vous êtes sur le point de tomber en amour. Avec ses champignons déshydratés qui gonflent doucement pendant la cuisson et ses deux œufs coulés dans la soupe au moment de servir, cette soupe vous surprendra assurément. Et disons que ça vous fera changement de la soupe won-ton.

25 g (3 c. à soupe) de fécule de maïs
1,25 litre (5 tasses) de bouillon de légumes (ou de bœuf)
1 bloc de 454 g (1 lb) de tofu ferme soyeux, épongé et coupé en cubes
1 boîte de 199 ml de pousses de bambou tranchées
15 g (1/2 oz) de champignons shiitakes séchés, rincés, égouttés et hachés
75 ml (1/3 tasse) de vinaigre de riz
15 ml (1 c. à soupe) de sambal oelek (voir note)
5 ml (1 c. à thé) d'huile de sésame grillé
2 œufs, battus
10 g (1/4 tasse) de ciboulette fraîche ciselée
Sel et poivre

1 Dans la mijoteuse, délayer la fécule dans le bouillon. Ajouter le tofu, les pousses de bambou, les shiitakes, le vinaigre, le sambal oelek et l'huile. Saler, poivrer et bien mélanger. Couvrir et cuire à basse température (*Low*) 8 heures. *À cette étape, on peut maintenir à réchaud (*Warm*) jusqu'à 6 heures.
2 Régler la mijoteuse à haute température (*High*). Verser les œufs en filet sur le bouillon chaud. Couvrir et cuire 1 à 2 minutes sans remuer ou jusqu'à ce que le blanc soit coagulé. Servir dans des bols et garnir de ciboulette.

NOTE *Si vous n'êtes pas amateur de piquant, réduisez le sambal oelek à 5 ml (1 c. à thé).*

SAUCE À SPAGHETTI AUX LENTILLES ET AUX CHAMPIGNONS

Préparation 40 MINUTES *Cuisson* 6 HEURES *Rendement* 2 LITRES (8 TASSES)
Warm JUSQU'À 8 HEURES *Se congèle*

Une sauce à spaghetti «pas de viande»? Voilà une recette parfois difficile à faire passer au conseil familial... Je vais vous donner un truc: n'en dites pas un mot. Les champignons hachés finement donnent du goût et une texture très épaisse à la sauce, qui fait presque oublier qu'il n'y a pas de viande.

454 g (1 lb) de champignons blancs, hachés finement
1 oignon, haché finement
2 gousses d'ail, hachées finement
30 ml (2 c. à soupe) d'huile d'olive
2 carottes, coupées en petits dés
2 branches de céleri, coupées en petits dés
210 g (1 tasse) de lentilles brunes sèches, rincées et égouttées
1,25 litre (5 tasses) de coulis de tomates ou de sauce tomate
250 ml (1 tasse) de bouillon de légumes
Sel et poivre

1 Dans une grande poêle antiadhésive à feu élevé, dorer les champignons, l'oignon et l'ail dans l'huile. Transvider dans la mijoteuse.

2 Ajouter les légumes, les lentilles, le coulis et le bouillon. Saler, poivrer et mélanger. Couvrir et cuire à basse température (*Low*) 6 heures. On peut maintenir à réchaud (*Warm*) jusqu'à 8 heures.

3 Délicieux sur des pâtes, mais aussi sur une aubergine fondante (p. 124) ou des pommes de terre.

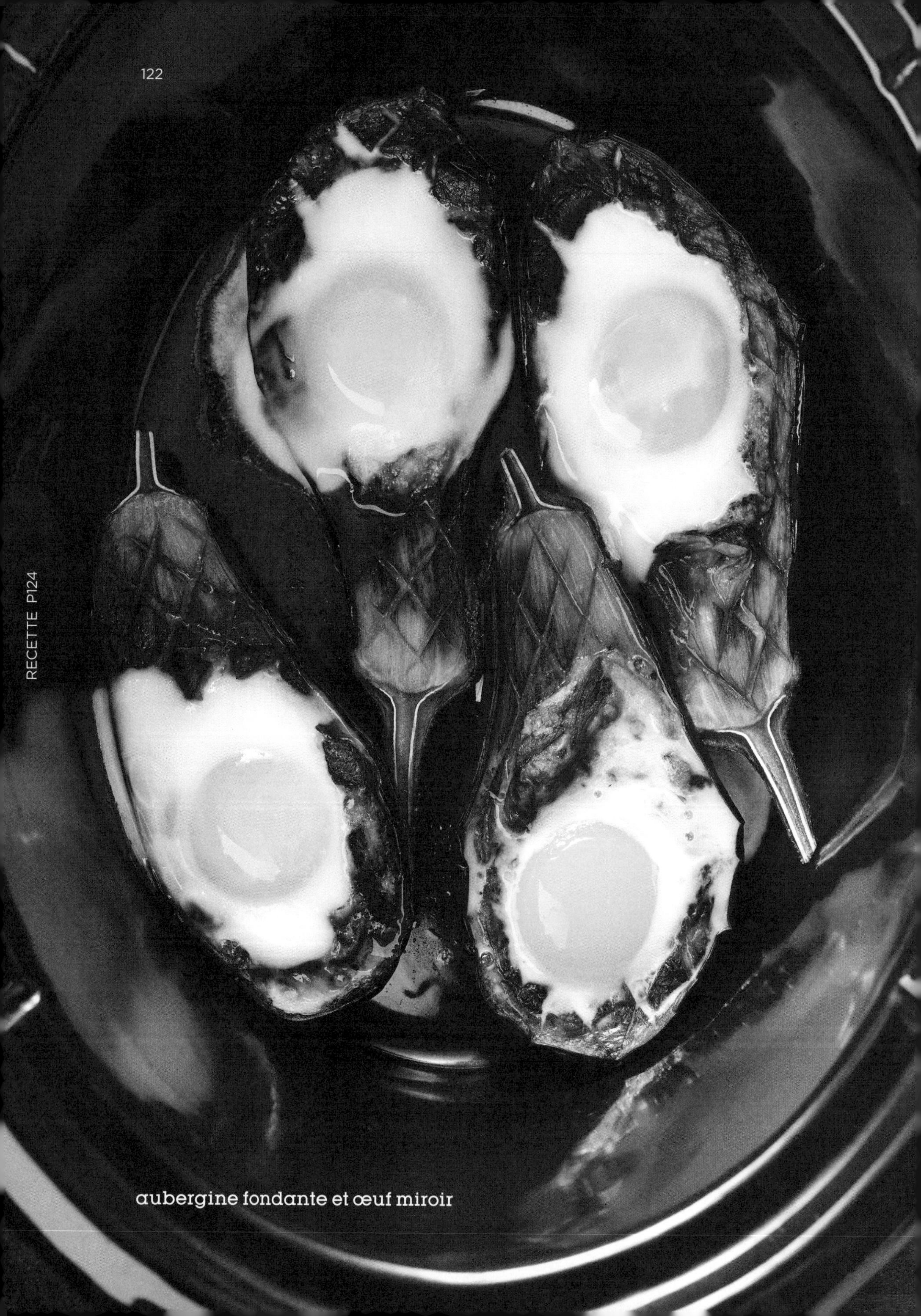

RECETTE P124

aubergine fondante et œuf miroir

AUBERGINE FONDANTE ET ŒUF MIROIR

Préparation 20 MINUTES ***Cuisson*** 3 H 30 ***Portions*** 4 ENTRÉES OU 2 REPAS
Warm *JUSQU'À 1 HEURE

Légume par excellence des plats végé, l'aubergine se sert fondante et bien chaude à la sortie du four. Vous me voyez venir; le même résultat est tout à fait possible à la mijoteuse. Il ne vous reste qu'à casser un œuf au moment de servir. Une belle recette pour un brunch.

2 petites aubergines
30 ml (2 c. à soupe) d'huile d'olive
4 œufs
50 g (2 tasses) de roquette
1 petite tomate, épépinée, coupée en dés
Sel et poivre

1 Sur un plan de travail, couper les aubergines en deux dans le sens de la longueur. À l'aide d'un petit couteau, quadriller la chair des aubergines sans percer la pelure. Saler et poivrer.

2 Dans une grande poêle antiadhésive à feu moyen-élevé, dorer les aubergines dans l'huile, côté chair seulement. Déposer dans la mijoteuse, face coupée vers le haut. Saler et poivrer. Couvrir et cuire à basse température (*Low*) 3 heures. *À cette étape, on peut maintenir à réchaud (*Warm*) jusqu'à 1 heure.

3 À l'aide d'une cuillère, presser le centre de la chair de l'aubergine afin d'y faire un creux. Déposer un œuf cassé au centre de chaque aubergine. Saler et poivrer. Couvrir et cuire à basse température (*Low*) de 20 à 30 minutes, ou jusqu'à ce que le blanc de l'œuf soit cuit.

4 Déposer une aubergine par assiette. Garnir de roquette et de tomate. Ajouter un trait d'huile d'olive ou une vinaigrette, au goût.

ORGE AUX LÉGUMES

Préparation 20 MINUTES ***Cuisson*** 3 HEURES ***Portions*** 8
Warm JUSQU'À 2 HEURES

Enfin! Un plat d'accompagnement simple, débordant de saveur et, surtout, qui évite l'habituel trou de mémoire quand on se demande ce qu'on mangerait bien avec un poisson grillé.

210 g (1 tasse) d'orge perlé, rincé et égoutté
2 carottes, pelées et coupées en petits dés
2 branches de céleri, coupées en petits dés
1 petit poivron rouge, épépiné et coupé en petits dés
1 gousse d'ail, hachée
2,5 ml (1/2 c. à thé) de sel de céleri
750 ml (3 tasses) de bouillon de légumes (ou de poulet)
Sel et poivre

1 Dans la mijoteuse, mélanger tous les ingrédients. Saler et poivrer.
2 Couvrir et cuire à basse température (*Low*) 3 heures. On peut maintenir à réchaud (*Warm*) jusqu'à 2 heures.

LASAGNE VÉGÉTARIENNE

Préparation 50 MINUTES ***Cuisson*** 4 HEURES ***Portions*** 6 ***Warm*** NON

Vous avez adopté la lasagne du premier livre ? Agrandissez la famille avec cette version végétarienne, cuisinée avec des pâtes crues. Pourquoi ? Pour vous laisser du temps pour lire, faire le ménage du garage ou, tiens, mettre à jour votre iPad. Parce que, contrairement à la lasagne, ça ne se fera pas tout seul.

70 g (3 tasses) de bébés épinards frais, hachés grossièrement
225 g (8 oz) de champignons blancs, hachés finement
1 grosse carotte, hachée finement
1 branche de céleri, hachée finement
2 gousses d'ail, hachées finement
1 litre (4 tasses) de sauce tomate (voir sauce marinara p. 051)
12 feuilles de pâte à lasagne non cuites, environ
70 g (1 tasse) de fromage *parmigiano reggiano* râpé
380 g (2 tasses) de courge Butternut, pelée et coupée en rondelles
de 5 mm (1/4 po) d'épaisseur
1 contenant de 400 g de fromage ricotta
150 g (1 1/2 tasse) de fromage mozzarella râpé
Sel et poivre

1 Dans un bol, mélanger les épinards, les champignons, la carotte, le céleri et l'ail. Saler et poivrer. Réserver.
2 Répartir 250 ml (1 tasse) de sauce tomate dans le fond de la mijoteuse. Couvrir d'un rang de pâtes. Ne pas hésiter à les casser au besoin.
3 Y répartir la moitié du mélange de légumes. Saupoudrer de la moitié du parmesan (1/2 tasse). Recouvrir de la moitié des tranches de courge. Ajouter 250 ml (1 tasse) de sauce et couvrir d'un rang de pâtes.
4 Couvrir avec la ricotta. Saler et poivrer. Poursuivre avec un rang de pâtes. Répéter l'étape 3.
5 Terminer avec 250 ml (1 tasse) de sauce tomate et parsemer avec la mozzarella.
6 Couvrir et cuire à basse température (*Low*) 4 heures.

NOTE *Selon le type de la mijoteuse, le temps de cuisson peut varier légèrement. Lorsque les pâtes sont tendres à la pointe d'un couteau, la lasagne est prête. Il n'est pas conseillé de maintenir à réchaud (*Warm*) après la cuisson, car les pâtes deviennent trop molles.*

CHILI AUX POIS CHICHES ET AU BLÉ

Préparation 30 MINUTES ***Cuisson*** 8 HEURES ***Portions*** 6
Warm JUSQU'À 8 HEURES ***Se congèle***

Ce chili contient deux ingrédients qui donnent une texture agréable et qui, en bouche, rappellent presque la viande: les pois chiches et les grains de blé mou (qui ressemblent à de l'orge). Et il n'a rien à envier au chili classique!

1 oignon, haché
2 gousses d'ail, hachées
1 piment jalapeño, épépiné et haché finement
30 ml (2 c. à soupe) d'huile d'olive
20 g (3 c. à soupe) d'assaisonnement au chili
5 ml (1 c. à thé) de cumin moulu
5 ml (1 c. à thé) d'origan séché
5 ml (1 c. à thé) de cacao
625 ml (2 1/2 tasses) de bouillon de légumes
185 g (1 tasse) de grains de blé mou, rincés et égouttés (voir note)
1 boîte de 796 ml (28 oz) de tomates en dés
1 boîte de 540 ml (19 oz) de pois chiches, rincés et égouttés
30 ml (2 c. à soupe) de jus de lime
2 avocats, coupés en dés et légèrement citronnés
Crème sure, au goût
Feuilles de coriandre fraîche ciselées, au goût
Sel et poivre

1 Dans une poêle à feu moyen-élevé, dorer l'oignon, l'ail et le piment dans l'huile. Ajouter les épices et le cacao. Cuire 1 minute en remuant continuellement. Déglacer avec le bouillon et porter à ébullition. Transvider dans la mijoteuse.
2 Ajouter le blé, les tomates, les pois chiches et le jus de lime. Saler, poivrer et mélanger. Couvrir et cuire à basse température (*Low*) 8 heures. On peut maintenir à réchaud (*Warm*) jusqu'à 8 heures. Ajouter du bouillon au besoin.
3 Accompagner d'avocats, de crème sure et de coriandre.

NOTE *Le blé mou ou blé tendre est la principale partie du grain de blé. On le trouve dans certaines épiceries aux côtés des autres grains ou dans les magasins d'aliments naturels.*

STEEL

SOUPE AUX LENTILLES, AU KALE ET AUX PATATES DOUCES

Préparation 30 MINUTES *Cuisson* 8 HEURES *Portions* 6 À 8
Warm JUSQU'À 8 HEURES

Le fameux kale. On en entend souvent parler, mais qu'est-ce qu'on fait avec ça, à part se dire qu'il faudrait bien y goûter un jour ? Je vous l'accorde : en feuilles, comme ça, ça peut sembler ordinaire. Mais je vous garantis que le mariage kale-lentilles fait gagner de la saveur à ce bouillon et que vous le finirez à même le bol.

1 poireau, émincé
3 gousses d'ail, hachées
15 ml (1 c. à soupe) d'huile d'olive
300 g (2 tasses) de patates douces, pelées et coupées en dés
115 g (4 tasses) de chou kale, haché
1 boîte de 398 ml (14 oz) de tomates en dés
200 g (1 tasse) de lentilles vertes sèches, rincées et égouttées
1 litre (4 tasses) de bouillon de légumes
30 ml (2 c. à soupe) de vinaigre de vin rouge
Sel et poivre

1 Dans une grande poêle antiadhésive à feu moyen, attendrir le poireau et l'ail dans l'huile. Transvider dans la mijoteuse.
2 Ajouter le reste des ingrédients. Saler, poivrer et mélanger. Couvrir et cuire à basse température (*Low*) 8 heures. On peut maintenir à réchaud (*Warm*) jusqu'à 8 heures.

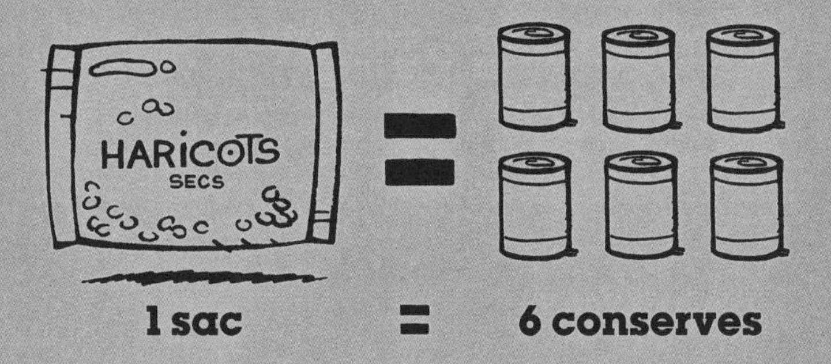

Les légumineuses

LE SECRET DU SUCCÈS

Réussir ses légumineuses à la mijoteuse, ce n'est pas sorcier. Tout ce que vous avez à faire, c'est de les faire bouillir dans de l'eau non salée pendant 10 minutes. Ensuite, égouttez et transvidez dans la mijoteuse, puis couvrez d'eau. Il ne vous reste qu'à les faire cuire (voyez le tableau de cuisson p. 133). La durée de cuisson exacte varie d'un type de légumineuse à l'autre ; jetez-y un œil en fin de cuisson pour les réussir comme vous les aimez. L'étape de la précuisson est essentielle. Elle permet de détruire les substances toxiques que contiennent les légumineuses en petite quantité et les rend ainsi plus digestes. À l'état cru, ces substances interfèrent avec la digestion et causent des inconforts.

1
2
Surface remains hot
3
4

TECHNIQUE DE CUISSON POUR LES POIS CHICHES, LES HARICOTS

Préparation 20 MINUTES **Cuisson** 5 À 10 HEURES **Rendement** 3 LITRES (12 TASSES)
Warm JUSQU'À 6 HEURES **Se congèlent**

900 g (2 lb) de pois chiches secs ou de haricots noirs, rouges ou blancs secs, rincés et égouttés
2,5 litres (10 tasses) d'eau

1 Dans une grande casserole d'eau bouillante, ajouter les pois chiches ou les haricots. Couvrir. Porter à ébullition et laisser bouillir à feu moyen 10 minutes. Égoutter.
2 Transvider dans la mijoteuse. Ajouter l'eau. Couvrir et cuire à basse température (*Low*) 5 heures. On peut maintenir à réchaud (*Warm*) jusqu'à 6 heures. Égoutter et rincer à l'eau froide.

NOTE *Vous pouvez congeler les pois chiches ou les haricots cuits dans des sacs de congélation à fermeture hermétique en portions pratiques de 360 g (2 tasses) (l'équivalent d'une boîte de conserve de 540 ml (19 oz) de haricots ou de pois chiches, rincés et égouttés). Laissez décongeler au réfrigérateur avant l'utilisation.*

LÉGUMINEUSES	PRÉCUISSON 10 MINUTES	TEMPS DE CUISSON MIJOTEUSE À *LOW*
Lentilles	non	4 heures
Pois cassés	non	6 heures
Haricots noirs	oui	5 à 10 heures
Haricots rouges	oui	5 à 8 heures
Haricots blancs	oui	5 à 10 heures
Pois chiches	oui	5 à 8 heures

Le temps peut varier selon l'ajout d'ingrédients (sucre, ingrédient acide, etc.) et selon la tendreté désirée.

SALADE DE LÉGUMINEUSES

Préparation 20 MINUTES *Portions* 6

1 petit oignon rouge, haché finement
60 ml (1/4 tasse) de vinaigre de cidre
60 ml (1/4 tasse) d'huile d'olive
15 ml (1 c. à soupe) de miel
360 g (2 tasses) de haricots noirs cuits (p. 133)
360 g (2 tasses) de haricots rouges cuits (p. 133)
360 g (2 tasses) de pois chiches cuits (p. 133)
240 g (2 tasses) de haricots verts coupés en tronçons de 2,5 cm (1 po) et blanchis
1 gousse d'ail, hachée finement
150 g (1 tasse) de maïs surgelé, décongelé
120 g (1 tasse) de fromage feta émietté (facultatif)
Sel et poivre

1 Dans un bol d'eau froide, faire tremper l'oignon haché 5 minutes. Égoutter et déposer dans un grand bol. Ajouter le vinaigre, l'huile et le miel. Bien mélanger.

2 Ajouter les légumineuses et les légumes. Saler, poivrer et bien mélanger. Ajouter le fromage et mélanger délicatement.

recevoir sans stresser

Je souris toujours quand on m'aborde avec l'idée que la mijoteuse, c'est de la cuisine brune et plate à manger en cachette. Détrompez-vous; ce qui en sort peut donner lieu à de vrais moments gastronomiques qui étonneront vos invités. Vous en doutez? Vous m'en reparlerez après avoir servi à votre tablée du samedi soir des jarrets d'agneau nappés d'une sauce à la sauge, des calmars *alla puttanesca* (oui, des calmars!) ou un cassoulet à la mijoteuse. Comme si ce n'était pas assez pour faire jaser, j'ai demandé à mon amie Marie-Josée Beaudoin, sommelière, de nous suggérer les vins parfaits pour aller avec mes recettes de mijoteuse. Les mariages vin-mijoteuse, votre beau-frère en parlera longtemps.

La mijoteuse des grands soirs

À LA MIJOTEUSE

EN ACCOMPAGNEMENT

RECETTE P141

rôti de dinde aux canneberges

RÔTI DE DINDE AUX CANNEBERGES

Préparation 45 MINUTES *Cuisson* 4 HEURES *Portions* 8 *Warm* NON

Qu'on cuisine ce rôti à l'automne ou dans la période des fêtes, l'odeur des canneberges et des épices donne un parfum de fête dans toute la maison. Mais vous avez bien le droit de le cuisiner en juillet, aussi (parce que le Noël des campeurs, ça se fête).

290 g (2 3/4 tasses) de canneberges fraîches ou surgelées
250 ml (1 tasse) de gelée de pommes
250 ml (1 tasse) de jus de canneberges
25 g (3 c. à soupe) de fécule de maïs
1 ml (1/4 c. à thé) de cinq-épices
1 rôti de poitrine de dinde d'environ 1,8 kg (4 lb) désossé, avec la peau et ficelé
30 ml (2 c. à soupe) de beurre
2 oignons, hachés finement
Sel et poivre

1 Au robot culinaire, réduire en purée 2 tasses des canneberges, avec la gelée de pommes, le jus de canneberges, la fécule et le cinq-épices. Passer au tamis. Réserver.
2 Dans une grande poêle à feu moyen-élevé, dorer le rôti de dinde dans le beurre. Saler et poivrer. Déposer dans la mijoteuse.
3 Dans la même poêle, dorer les oignons. Ajouter du beurre au besoin. Ajouter le mélange de canneberges. Porter à ébullition en remuant. Transvider dans la mijoteuse. Ajouter le reste des canneberges (3/4 tasse).
4 Couvrir et cuire à basse température (*Low*) 4 heures. Rectifier l'assaisonnement.
5 Servir avec une purée de pommes de terre et un légume vert.

ACCORD VIN *Un rouge de la Loire à base de cabernet franc, comme un chinon ou un saumur-champigny, sera l'accompagnement idéal avec son caractère fruité et ses tannins légers.*

cassoulet

RECETTE P144

CASSOULET

Préparation 45 MINUTES ***Cuisson*** 4 HEURES ***Portions*** 6 À 8
Warm JUSQU'À 4 HEURES ***Se congèle***

On aimerait pouvoir servir du cassoulet plus souvent... mais c'est long à faire. Quand on utilise la mijoteuse, ça prend à peine 45 minutes à préparer; c'est donc pas mal moins de travail que la méthode classique. (Mais ça, personne n'est obligé de le savoir.) Lorsque le plat est prêt, vous n'avez qu'à saupoudrer un peu de chapelure, que vous aurez fait revenir à la dernière minute dans la poêle.

3 cuisses de canard confites (voir recette p. 168)
30 ml (2 c. à soupe) de gras de canard ou d'huile d'olive
675 g (1 1/2 lb) d'échine de porc, coupée en 8 morceaux (voir note p. 034)
1 épaisse tranche de bacon d'environ 115 g (4 oz), coupée en 8 morceaux
2 oignons, hachés
1 tête d'ail, le dessus de la tête coupé
30 ml (2 c. à soupe) de pâte de tomates
180 ml (3/4 tasse) de vin blanc
3 boîtes de 540 ml (19 oz) de haricots blancs, rincés et égouttés
225 g (8 oz) de saucisson à l'ail, coupé en 8 morceaux
375 ml (1 1/2 tasse) de bouillon de poulet
65 g (1/2 tasse) de chapelure
40 g (3 c. à soupe) de beurre
20 g (1/4 tasse) de fromage *parmigiano reggiano* râpé
10 g (1/4 tasse) de persil plat ciselé
Sel et poivre

1 Dans une grande poêle antiadhésive à feu moyen-élevé, dorer les cuisses de canard, côté peau dans le gras. Attention aux éclaboussures. Réserver dans une assiette. Dans la même poêle, dorer le porc et le bacon. Déposer dans la mijoteuse.
2 Dans la même poêle, dorer les oignons et l'ail, côté coupé dans la poêle. Ajouter la pâte de tomates et cuire 1 minute en remuant. Déglacer avec le vin. Laisser mijoter 1 minute. Transvider dans la mijoteuse.
3 Ajouter les haricots, le saucisson et le bouillon dans la mijoteuse. Saler, poivrer et bien mélanger. Déposer les cuisses de canard, côté peau vers le haut, sur le mélange de haricots. Couvrir et cuire à basse température (*Low*) 4 heures. On peut maintenir à réchaud (*Warm*) jusqu'à 4 heures.
4 Dans une poêle antiadhésive à feu moyen, dorer la chapelure dans le beurre. Retirer du feu. Ajouter le parmesan et le persil. Bien mélanger et laisser refroidir.
5 Désosser les cuisses de canard. Servir le cassoulet et garnir avec le mélange de chapelure.

ACCORD VIN *Avec ce plat originaire du sud-ouest de la France, optez pour un vin de la même région: un madiran. Ces vins rouges corsés avec des tannins marqués sauront enrober la texture du cassoulet.*

JOUES DE BŒUF À LA MOUTARDE ET AUX PRUNEAUX

Préparation 25 MINUTES ***Cuisson*** 8 HEURES ***Portions*** 6
Warm JUSQU'À 4 HEURES ***Se congèlent***

On est moins portés à cuisiner la joue de bœuf et pourtant, c'est une pièce de viande tellement abordable et savoureuse. Ça fait changement de l'éternelle palette et surtout, c'est idéal pour recevoir. Quand vous déposerez le plat devant vos invités, ils seront loin de se douter qu'il sort de la mijoteuse.

4 joues de bœuf, dégraissées et coupées en deux (environ 1,4 kg/3 lb)
30 ml (2 c. à soupe) d'huile d'olive
250 ml (1 tasse) de vin rouge
250 ml (1 tasse) de fond de veau
45 ml (3 c. à soupe) de moutarde à l'ancienne
30 ml (2 c. à soupe) de pâte de tomates
1 ml (1/4 c. à thé) de graines de fenouil broyées
100 g (1/2 tasse) de pruneaux dénoyautés, coupés en dés
Sel et poivre

1 Dans une grande poêle à feu élevé, dorer les joues de bœuf dans l'huile. Déposer dans la mijoteuse. Déglacer la poêle avec le vin. Laisser réduire 1 minute. Ajouter le fond de veau, la moutarde, la pâte de tomates et le fenouil. Saler, poivrer et bien mélanger. Transvider dans la mijoteuse.
2 Ajouter les pruneaux. Couvrir et cuire à basse température (*Low*) 8 heures. On peut maintenir à réchaud (*Warm*) jusqu'à 4 heures.
3 Délicieux avec le risotto d'orge (p. 148).

NOTE *Pour éviter le gros du travail, demandez à votre boucher de dégraisser les joues de bœuf.*

ACCORD VIN *Voici une recette qu'on associe à un sangiovese ou un chianti. Le côté fruits rouges et épicé, avec la chaleur du soleil de la Toscane, ira à merveille avec les joues de bœuf.*

PAPPARDELLES AUX JOUES DE BŒUF À LA MOUTARDE ET AUX PRUNEAUX

Préparation 20 MINUTES *Cuisson* 15 MINUTES *Portions* 4

Ces pappardelles, c'est une façon fantastique de manger les restes de joues de bœuf, tout en vivant un autre moment de grande cuisine. La viande est tellement tendre qu'on dirait presque qu'elle est crémeuse!

340 g (3/4 lb) de pappardelles
400 g (2 tasses) de joues de bœuf à la moutarde et aux pruneaux cuites (p. 145), en morceaux
250 ml (1 tasse) de jus de cuisson des joues de bœuf
35 g (1/2 tasse) de fromage *parmigiano reggiano* râpé
10 g (1/4 tasse) de persil plat, ciselé
1 branche de céleri, émincée
Sel et poivre

1 Dans une casserole d'eau bouillante salée, cuire les pappardelles *al dente*. Réserver 250 ml (1 tasse) d'eau de cuisson. Égoutter.
2 Dans une grande poêle antiadhésive à feu moyen, réchauffer la viande et le jus de cuisson des joues, en remuant. Ajouter les pâtes et environ 125 ml (1/2 tasse) de l'eau de cuisson et remuer jusqu'à ce que la sauce soit onctueuse. Saler et poivre. Ajouter de l'eau de cuisson des pâtes au besoin.
3 Répartir dans des assiettes creuses. Garnir de parmesan, de persil et de céleri.

ACCORD VIN *Essayez un rouge du Piémont, comme un dolcetto ou un langhe, pour agrémenter ces pappardelles. Vous découvrirez un vin légèrement tannique, mais avec l'acidité typique du nord de l'Italie.*

RISOTTO D'ORGE

Préparation 10 MINUTES *Cuisson* 50 MINUTES *Portions* 6

Ce plat est idéal pour accompagner les joues de bœuf, car sa texture *al dente* contraste bien avec la tendreté de la viande. En même temps, cela nous fait découvrir une nouvelle façon de manger l'orge, une céréale très nutritive et pas juste destinée à flotter dans une soupe.

1 oignon, haché finement
1 gousse d'ail, hachée finement
40 g (3 c. à soupe) de beurre
200 g (1 tasse) d'orge perlé, rincé et égoutté
1 litre (4 tasses) de bouillon de poulet, chaud
Sel et poivre

1 Dans une casserole à feu moyen, attendrir l'oignon et l'ail dans le beurre. Ajouter l'orge et bien l'enrober de beurre. Ajouter le bouillon, environ 250 ml (1 tasse) à la fois, en remuant fréquemment jusqu'à ce que le liquide soit complètement absorbé entre chaque ajout. Cuire environ 40 minutes ou jusqu'à ce que l'orge soit *al dente*. Ajouter du bouillon au besoin. Saler et poivrer.
2 Servir avec les joues de bœuf à la moutarde et aux pruneaux (p. 145).

CALMARS *ALLA PUTTANESCA*

Préparation 30 MINUTES **Cuisson** 6 HEURES **Portions** 6
Warm JUSQU'À 4 HEURES

Quand on cherche un plat pour recevoir, les calmars viennent rarement en tête de liste, par peur de servir un «désastre au caoutchouc». Mais pas quand on les prépare à la mijoteuse, puisque la cuisson douce leur convient parfaitement. Que ce soit en entrée avec un croûton de pain ou sur du riz en plat principal, avec cette recette, vous êtes certain de servir des calmars tendres et vraiment parfaits.

1 gros oignon sucré (Vidalia), coupé en fins quartiers
1 bulbe de fenouil, coupé en fins quartiers
2 gousses d'ail, hachées
30 ml (2 c. à soupe) de beurre
125 ml (1/2 tasse) de vin blanc
15 ml (1 c. à soupe) de pastis ou autre alcool anisé
340 g (3/4 lb) de calmars en rondelles frais ou surgelés et décongelés
625 ml (2 1/2 tasses) de coulis de tomates ou de sauce tomate
25 g (1/2 tasse) de persil frais, ciselé
30 ml (2 c. à soupe) d'olives Kalamata dénoyautées, hachées
15 ml (1 c. à soupe) de câpres
Sel et poivre

1 Dans une grande poêle à feu moyen, attendrir l'oignon, le fenouil et l'ail dans le beurre. Saler et poivrer. Déglacer avec le vin et le pastis. Poursuivre la cuisson 1 minute. Transvider dans la mijoteuse.
2 Ajouter les calmars et le coulis de tomates. Saler, poivrer et mélanger. Couvrir et cuire à basse température (*Low*) 6 heures. On peut maintenir à réchaud (*Warm*) jusqu'à 4 heures.
3 Dans un bol, mélanger le persil, les olives et les câpres. Répartir la garniture sur les calmars au moment de servir.
4 Servir avec du riz.

ACCORD VIN *Un valpolicella servi frais, autour de 18 °C, apportera tous les arômes nécessaires pour se marier aux saveurs des calmars tomatés.*

RECETTE P149

calmars *alla puttanesca*

SHORT RIBS AU MARSALA

Préparation 45 MINUTES **Cuisson** 8 HEURES **Portions** 4
Warm JUSQU'À 6 HEURES **Se congèlent**

La plupart du temps, quand on voit des *short ribs*, c'est au resto: raison de plus pour épater les amis avec cette recette qui a un petit côté sucré, grâce aux raisins de Corinthe. La texture est la même que celle des côtes levées traditionnelles de porc. Mais avec du bœuf. Et en plus chic.

25 g (3 c. à soupe) de fécule de maïs
500 ml (2 tasses) de bouillon de bœuf
1,8 kg (4 lb) de plat de côtes de bœuf, coupé entre chaque os (voir note)
30 ml (2 c. à soupe) d'huile d'olive
375 ml (1 1/2 tasse) de marsala
500 ml (2 tasses) de fond de veau
55 g (2 oz) de saucisson chorizo, coupé en dés
35 g (1/4 tasse) de raisins de Corinthe séchés
4 échalotes françaises, coupées en tranches épaisses
2 carottes, coupées en petits dés
2 branches de céleri, coupées en petits dés
1 branche de thym frais
Sel et poivre

1 Délayer la fécule dans le bouillon. Réserver.
2 Dans une grande poêle à feu élevé, dorer la moitié de la viande à la fois dans l'huile. Saler et poivrer. Déposer dans la mijoteuse. Déglacer la poêle avec le marsala. Laisser réduire 1 minute. Ajouter le mélange de bouillon et le fond de veau. Porter à ébullition en remuant. Transvider dans la mijoteuse.
3 Ajouter le reste des ingrédients. Couvrir et cuire à basse température (*Low*) 8 heures. On peut maintenir à réchaud (*Warm*) jusqu'à 6 heures.
4 Servir avec le risotto d'orge (p. 148) et un légume au choix.

NOTE *Les plats de côtes sont aussi appelés* «short ribs», *ou côtes levées de bœuf.*

ACCORD VIN *Un vin rouge du Douro sera l'accompagnement parfait pour ces* short ribs. *Juste assez de tannins et des arômes de fruits bien mûrs pour aller avec la sauce.*

MIJOTÉ DE BŒUF À LA BIÈRE ET *DUMPLINGS* AU CHEDDAR

Préparation 45 MINUTES ***Cuisson*** 8 HEURES ***Portions*** 8
Warm JUSQU'À 2 HEURES

On revisite ici le classique *Irish stew*, un mijoté qui, historiquement, se préparait avec du mouton, des légumes racines et de l'eau. Mais comme on reçoit et qu'on a envie de se faire plaisir, on a remplacé l'eau par de la bière et on a ajouté une petite touche festive avec les *dumplings* au cheddar.

Mijoté

30 ml (2 c. à soupe) de farine tout usage non blanchie
1 kg (2,2 lb) de rôti de palette de bœuf désossé, coupé en cubes
40 g (3 c. à soupe) de beurre
375 ml (1 1/2 tasse) de bière noire
500 ml (2 tasses) de bouillon de bœuf
30 ml (2 c. à soupe) de moutarde de Dijon
680 g (4 tasses) de pommes de terre Russet, pelées et coupées en cubes
4 carottes, coupées en cubes
Sel et poivre

Dumplings

105 g (3/4 tasse) de farine tout usage non blanchie
75 g (3/4 tasse) de fromage cheddar fort râpé
5 ml (1 c. à thé) de poudre à pâte
1 ml (1/4 c. à thé) de sel
55 g (1/4 tasse) de beurre froid, coupé en dés
125 ml (1/2 tasse) de lait

1 POUR LE MIJOTÉ Dans un bol, placer la farine. Ajouter la viande et bien l'enrober.
2 Dans une grande poêle à feu moyen-élevé, dorer la viande, la moitié à la fois, dans le beurre. Saler et poivrer. Déposer les cubes dans la mijoteuse. Déglacer la poêle avec la bière et laisser mijoter 2 minutes. Ajouter le bouillon et la moutarde. Porter à ébullition en remuant. Transvider dans la mijoteuse.
3 Ajouter les légumes. Saler, poivrer et bien mélanger. Couvrir et cuire à basse température (*Low*) 6 heures si vous faites les *dumplings*, sinon cuire 8 heures.
4 POUR LES *DUMPLINGS* Dans un bol, mélanger la farine, le cheddar, la poudre à pâte et le sel. Ajouter le beurre et mélanger du bout des doigts jusqu'à ce qu'il ait la grosseur de petits pois. Ajouter le lait et mélanger tout juste pour humecter la pâte.
5 Régler la mijoteuse à basse température (*Low*). À l'aide d'une cuillère à crème glacée de 30 ml (2 c. à soupe), déposer des boules de pâte sur le mijoté. Couvrir et poursuivre la cuisson 2 heures. On peut maintenir à réchaud (*Warm*) jusqu'à 2 heures.

ACCORDS VINS *Un malbec argentin serait idéal pour accompagner ce mijoté. Riche, avec une texture onctueuse et du fruit très mûr; l'accord devrait vous plaire.*

JARRETS D'AGNEAU AU CITRON ET À LA SAUGE

Préparation 25 MINUTES ***Cuisson*** 6 HEURES ***Portions*** 4
Warm JUSQU'À 6 HEURES

N'hésitez pas à opter pour des citrons biologiques quand une recette utilise la chair et l'écorce du citron. Autrement, assurez-vous de bien laver et brosser l'écorce du fruit.

4 jarrets d'agneau, environ 400 g (14 oz) chacun
30 ml (2 c. à soupe) d'huile d'olive
8 gousses d'ail, pelées
250 ml (1 tasse) de bouillon de poulet
60 ml (1/4 tasse) de miel
1 citron, lavé et coupé en quartiers (voir note)
1 branche de sauge fraîche
2,5 ml (1/2 c. à thé) de poivre concassé
Feuilles de persil frais, au goût
Sel et poivre

1 Dans une grande poêle antiadhésive à feu moyen-élevé, dorer les jarrets dans l'huile. Saler et poivrer. Ajouter les gousses d'ail et dorer légèrement. Transvider dans la mijoteuse.
2 Ajouter le reste des ingrédients. Couvrir et cuire à basse température (*Low*) 6 heures. On peut maintenir à réchaud (*Warm*) jusqu'à 6 heures.
3 Servir avec du couscous.

ACCORD VIN *On pense tout de suite à la vallée du Rhône avec cette recette. Choisissez un rouge à base de syrah principalement, comme un crozes-hermitage ou un saint-joseph.*

JAMBALAYA

Préparation 30 MINUTES ***Cuisson*** 4 HEURES ***Portions*** 6
Warm *JUSQU'À 8 HEURES

C'est bien beau, le jambalaya, mais c'est quoi ? C'est un plat originaire du sud des États-Unis, à base de riz épicé, et dans lequel on ajoute toutes sortes d'ingrédients, comme des crevettes, du chorizo, du jambon ou du poulet. Un petit goût de Louisiane qu'on vous redemandera assurément.

454 g (1 lb) de hauts de cuisses de poulet désossés et sans la peau, coupés en deux
30 ml (2 c. à soupe) d'huile d'olive
1 oignon, émincé
4 gousses d'ail, hachées
15 ml (1 c. à soupe) d'assaisonnement au chili
5 ml (1 c. à thé) de paprika
1 ml (1/4 c. à thé) de paprika fumé
340 g (3/4 lb) de saucisson à l'ail de type kielbasa, coupé en gros morceaux
1 boîte de 398 ml (14 oz) de tomates en dés
2 branches de céleri, coupées en dés
1 poivron rouge, épépiné et coupé en dés
10 ml (2 c. à thé) de sauce Tabasco
454 g (1 lb) de crevettes moyennes crues, décortiquées
450 g (3 tasses) de riz à grains longs étuvé cuit (voir note)
10 g (1/4 tasse) de persil plat ciselé
Sel et poivre

1 Dans une poêle antiadhésive à feu moyen-élevé, dorer le poulet dans l'huile. Saler et poivrer. Ajouter l'oignon, l'ail et les épices. Cuire 2 minutes en remuant. Transvider dans la mijoteuse.
2 Ajouter le saucisson, les tomates, le céleri, le poivron et la sauce Tabasco. Couvrir et cuire à basse température (*Low*) 4 heures. *À cette étape, on peut maintenir à réchaud (*Warm*) jusqu'à 8 heures.
3 Régler la mijoteuse à haute température (*High*). Ajouter les crevettes et le riz. Bien mélanger. Couvrir et poursuivre la cuisson 10 minutes, ou jusqu'à ce que les crevettes soient cuites.
4 Rectifier l'assaisonnement et parsemer de persil.

NOTE *Pour obtenir 450 g (3 tasses) de riz cuit, vous aurez besoin de 150 g (3/4 tasse) de riz cru.*

ACCORD VIN *La chaleur d'un vin d'Espagne, comme un jumilla ou un rioja, sera idéale pour le jambalaya et pourra s'accorder avec le piquant de la recette.*

POMMES DE TERRE BOULANGÈRE

Préparation 40 MINUTES **Cuisson** 6 HEURES **Portions** 6
Warm JUSQU'À 4 HEURES

Si vous avez aimé le gratin dauphinois du premier livre, vous allez faire des bassesses pour ces pommes de terre boulangère. Les oignons caramélisés, les pommes de terre et le bouillon cuisent doucement, ce qui vous laisse la liberté de vous servir du four pour cuisiner votre plat principal.

4 oignons, émincés
30 ml (2 c. à soupe) d'huile d'olive
2,5 ml (1/2 c. à thé) de thym frais haché
1 kg (2,2 lb) de pommes de terre à chair jaune, tranchées finement à la mandoline
310 ml (1 1/4 tasse) de bouillon de bœuf
30 ml (2 c. à soupe) de beurre fondu
Sel et poivre

1 Dans une grande poêle antiadhésive à feu élevé, dorer les oignons dans l'huile. Ajouter le thym. Saler et poivrer. Réserver.
2 Tapisser le fond de la mijoteuse avec un tiers des tranches de pommes de terre. Saler et poivrer. Recouvrir de la moitié des oignons. Poursuivre avec un tiers des pommes de terre et le reste des oignons. Ajouter le bouillon et terminer avec le reste des pommes de terre. Presser légèrement. Saler et poivrer. À l'aide d'un pinceau, badigeonner avec le beurre fondu.
3 Couvrir et cuire à basse température (*Low*) 6 heures. On peut maintenir à réchaud (*Warm*) jusqu'à 4 heures.

confits savoureux

Y a-t-il quelque chose que la mijoteuse ne peut pas faire ? Laver l'intérieur du four, peut-être. Au-delà des mijotés traditionnels et des lunchs de semaine, vous pouvez aussi l'utiliser pour confire vos viandes et vos poissons. Canard, agneau, dinde ou pavé de saumon... C'est simple et savoureux, et chaque bouchée vous étonnera. Confire à la mijoteuse est aussi très intéressant pour les amateurs de chasse. Votre congélateur déborde de petit gibier et des trophées de chasse du beau-père ? Vous savez maintenant quoi en faire.

Si ça se confit, ça se mijote aussi!

RECETTE P168

cuisses de canard confites

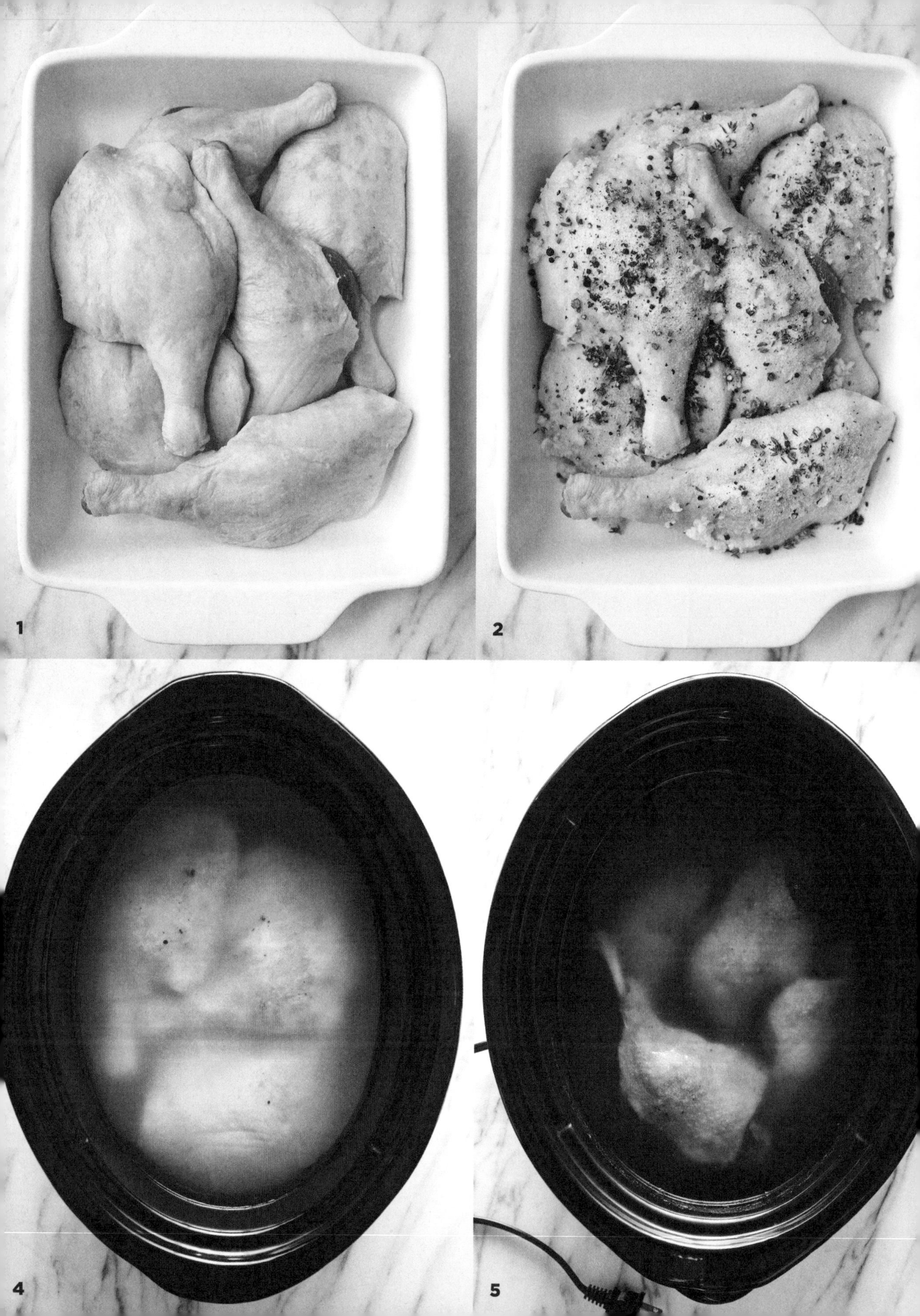
1
2
4
5

CONFIRE EN 6 ÉTAPES

1 Dans un grand plat en verre ou en céramique, placer la viande.

2 Enrober de sel, de poivre, d'épices, d'ail... selon la recette. Couvrir et réfrigérer de 12 à 24 heures.

3 Égoutter et éponger.

4 Placer dans la mijoteuse et recouvrir de gras de canard fondu.

5 Couvrir et cuire à basse température (*Low*) 6 heures ou jusqu'à ce que la viande se détache de l'os. On peut maintenir à réchaud (*Warm*) jusqu'à 6 heures.

6 Retirer la viande à l'aide d'une écumoire et laisser tiédir sur une grille.

POUR PRÉPARER LA RECETTE *Vous aurez besoin de 5 contenants de 300 g (ou 1,5 kg) de gras de canard. Une fois filtré, vous pourrez le réutiliser plusieurs fois pour confire à nouveau. Vous pouvez le congeler.*

POUR CONFIRE DU PORC *On peut utiliser la même méthode pour confire du filet de porc. Pour ce faire, couper 2 filets de porc d'environ 454 g (1 lb) chacun, en deux ou trois tronçons. La macération est de 1 à 4 heures seulement. On utilise moins de gras, soit 1 litre (4 tasses), ou 3 contenants de 300 g. Le temps de cuisson est le même et on peut garder à réchaud (*Warm*) jusqu'à 2 heures.*

CUISSES DE CANARD CONFITES

Préparation 15 MINUTES ***Macération*** 12 HEURES ***Cuisson*** 6 HEURES
Portions 6 ***Warm*** JUSQU'À 6 HEURES ***Se congèlent*** ENTIÈRES OU DÉSOSSÉES

20 ml (4 c. à thé) de sel
5 ml (1 c. à thé) de poivre noir, concassé
5 ml (1 c. à thé) de baies de genièvre, concassées
8 gousses d'ail, hachées finement
5 ml (1 c. à thé) de feuilles de thym frais
6 cuisses de canard (environ 2 kg/4 1/2 lb)
1,5 kg (7 tasses) de gras de canard fondu (voir «Confire en 6 étapes» p. 167)

1 Dans un bol, mélanger le sel, le poivre, les baies de genièvre, l'ail et le thym.
2 Dans un grand plat en verre, placer les cuisses de canard et enrober du mélange de sel. Couvrir et réfrigérer de 12 à 24 heures.
3 Égoutter les cuisses de canard et les éponger. Placer dans la mijoteuse. Recouvrir avec le gras de canard.
4 Couvrir et cuire à basse température (*Low*) 6 heures ou jusqu'à ce que la viande se détache de l'os. On peut maintenir à réchaud (*Warm*) jusqu'à 6 heures.
5 Retirer les cuisses à l'aide d'une écumoire et laisser tiédir sur une grille.
6 Servir tel quel ou désosser et utiliser pour d'autres recettes, comme une salade (p. 171) ou dans un parmentier de canard.

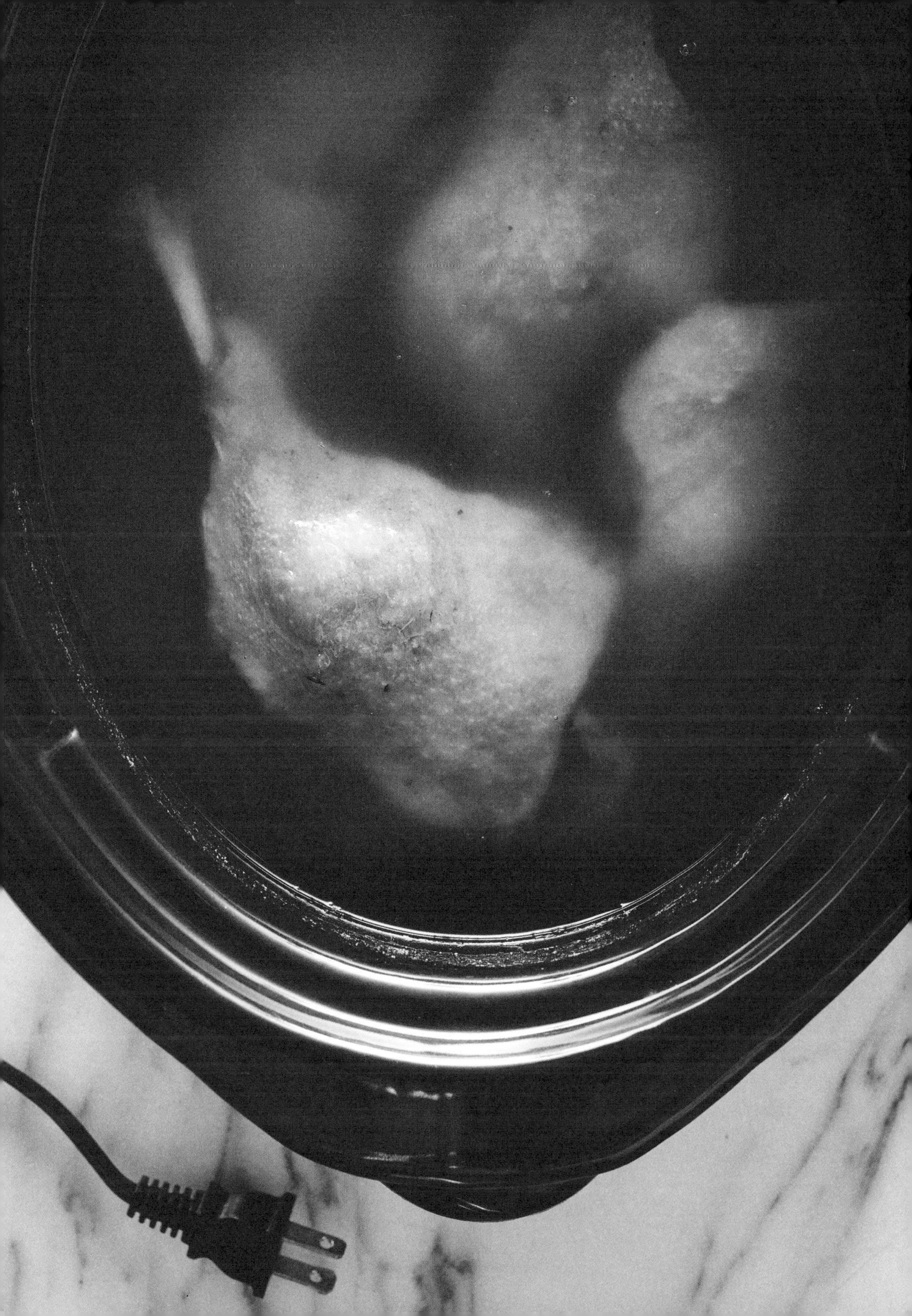

SALADE DE CANARD CONFIT, DE POIRE ET DE GRENADE

Préparation 20 MINUTES ***Portions*** 4

Vinaigrette
45 ml (3 c. à soupe) d'huile d'olive
30 ml (2 c. à soupe) de vinaigre balsamique
15 ml (1 c. à soupe) de moutarde de Dijon
1/2 gousse d'ail, hachée finement
Sel et poivre

Salade
142 g (6 tasses) de mélange de laitues
1 poire, épépinée et coupée en fines lanières, légèrement citronnée
2 cuisses de canard confites (p. 168) désossées, tièdes (voir note)
85 g (1/2 tasse) de grains de grenade
50 g (1/2 tasse) de pacanes grillées, concassées

1 POUR LA VINAIGRETTE Dans un grand bol, mélanger tous les ingrédients au fouet. Saler et poivrer.

2 POUR LA SALADE Ajouter le mélange de laitues et la poire à la vinaigrette. Mélanger délicatement. Répartir dans 4 assiettes. Garnir du canard. Parsemer de grains de grenade et de pacanes.

NOTE *Pour cette recette, on pourrait aussi utiliser l'agneau confit (p. 172) ou la dinde confite (p. 175).*

ACCORD VIN *Le pinot noir sera votre meilleur allié avec ce canard. Prenez-en un qui vient d'un climat assez chaud, comme le Chili, la Californie ou la Nouvelle-Zélande.*

JARRETS D'AGNEAU CONFITS

Préparation 10 MINUTES ***Macération*** 24 HEURES ***Cuisson*** 6 HEURES
Portions 4 ***Warm*** JUSQU'À 6 HEURES ***Se congèlent*** ENTIERS OU DÉSOSSÉS

20 ml (4 c. à thé) de sel
5 ml (1 c. à thé) de poivre noir, concassé
8 gousses d'ail, hachées finement
4 jarrets d'agneau (environ 400 g/14 oz chacun)
1,75 litre (7 tasses) de gras de canard fondu (voir «Confire en 6 étapes» p. 167)

1 Dans un bol, mélanger le sel, le poivre et l'ail.
2 Dans un grand plat en verre, placer les jarrets d'agneau et enrober du mélange de sel. Couvrir et réfrigérer 24 heures.
3 Égoutter les jarrets d'agneau et les éponger. Placer dans la mijoteuse. Recouvrir avec le gras de canard.
4 Couvrir et cuire à basse température (*Low*) 6 heures ou jusqu'à ce que la viande se détache de l'os. On peut maintenir à réchaud (*Warm*) jusqu'à 6 heures.
5 Retirer les jarrets à l'aide d'une écumoire et laisser tiédir sur une grille.
6 Servir avec une salade ou désosser et utiliser pour d'autres recettes, comme une salade de pâtes, une garniture de potage ou un sandwich.

ACCORD VIN *Pensez à une syrah (shiraz) de l'Afrique du Sud, du Nouveau Monde, du Chili ou de l'Australie, avec des arômes de fruits confits et des tannins fondus pour l'agneau.*

PILONS DE DINDE CONFITS

Préparation 10 MINUTES ***Macération*** 24 HEURES ***Cuisson*** 6 HEURES
Portions 4 ***Warm*** JUSQU'À 6 HEURES ***Se congèlent*** ENTIERS OU DÉSOSSÉS

20 ml (4 c. à thé) de sel
5 ml (1 c. à thé) de poivre noir, concassé
5 ml (1 c. à thé) de baies de genièvre, concassées
8 gousses d'ail, hachées finement
2 feuilles de laurier
4 pilons de dinde (environ 400 g/14 oz chacun)
1,75 litre (7 tasses) de gras de canard fondu (voir «Confire en 6 étapes» p. 167)

1 Dans un bol, mélanger le sel, le poivre, les baies de genièvre, l'ail et le laurier.
2 Dans un grand plat en verre, placer les pilons de dinde et enrober du mélange de sel. Couvrir et réfrigérer 24 heures.
3 Égoutter les pilons de dinde et les éponger. Placer dans la mijoteuse. Recouvrir avec le gras de canard.
4 Couvrir et cuire à basse température (*Low*) 6 heures ou jusqu'à ce que la viande se détache de l'os. On peut maintenir à réchaud (*Warm*) jusqu'à 6 heures.
5 Retirer les pilons à l'aide d'une écumoire et laisser tiédir sur une grille.
6 Servir avec une salade ou désosser et utiliser pour d'autres recettes, comme une farce de raviolis, une salade de pâtes ou un club sandwich.

NOTE *On peut également utiliser 2 cuisses entières, en séparant le pilon du haut de cuisse.*

ACCORD VIN *Un vin à base de gamay accompagnera la chair délicate de la dinde. Optez pour un morgon ou un brouilly, pour un vin fruité avec du corps.*

PAVÉS DE SAUMON CONFITS

Préparation 15 MINUTES ***Cuisson*** 1 H 15 ***Portions*** 4 ***Warm*** NON

En élaborant le tome 1, j'ai découvert que le saumon cuisait vraiment bien à la mijoteuse. Ici, je le confis, non pas dans le gras de canard, mais bien dans une huile peu goûteuse, comme l'huile d'olive légère ou l'huile de canola. Avec sa cuisson douce, la mijoteuse réussit vraiment à tirer le meilleur de ce poisson. Il en sort super moelleux et cuit à la perfection.

675 g (1 1/2 lb) de filet de saumon, sans la peau, coupé en 4 pavés
2,5 ml (1/2 c. à thé) de grains de poivre, broyés finement
2,5 ml (1/2 c. à thé) de graines de coriandre, broyées finement
1 citron, coupé en 12 fines tranches
4 gousses d'ail, pelées et légèrement écrasées
4 branches de thym frais
250 ml (1 tasse) d'huile de canola ou d'huile d'olive légère (voir note)
Sel

1 Frotter les pavés de saumon avec le poivre et la coriandre. Saler. Déposer dans la mijoteuse. Placer 3 tranches de citron sur chaque pavé. Ajouter l'ail, le thym et couvrir de l'huile.
2 Couvrir et cuire à basse température (*Low*) 1 h 15 environ, selon l'épaisseur des pavés, ou jusqu'à cuisson rosée.
3 À l'aide d'une écumoire, retirer les pavés délicatement et déposer sur une assiette.
4 Servir chaud, tiède ou froid, avec une salade.

NOTE *L'huile d'olive légère fait référence à la saveur et à la couleur de l'huile. Elle a donc un goût léger. L'utilisation d'une huile d'olive extra vierge donnerait au saumon un goût trop prononcé. Après la cuisson, on peut filtrer l'huile au tamis, au-dessus d'un bol. Laisser tiédir, couvrir et réfrigérer l'huile pour refaire la recette.*

ACCORD VIN *Comme la texture du saumon est riche, choisissez un chardonnay assez vif, tel un mâcon ou un pouilly-fuissé, qui aura assez de corps, mais une belle fraîcheur également.*

Légumes de compagnie

Trouver des idées de repas chaque soir, ça peut devenir essoufflant. Mais trouver des idées d'accompagnements, ça l'est encore plus. Chaque fois, on dirait que c'est la panne! C'est comme si, tout à coup, les seuls légumes rapides à cuisiner qui nous venaient en tête étaient les haricots verts et les carottes. Faire changement du brocoli vapeur, c'est pourtant simple. Ici, vos accompagnements cuisent lentement toute la journée, vous rentrez du travail et n'avez qu'à faire griller une viande, un poisson ou une volaille. Je vous avertis: vous êtes à une courge spaghetti, à un poivron rôti et à quelques tomates braisées de voler la vedette à votre plat principal.

courge spaghetti

RECETTE P182

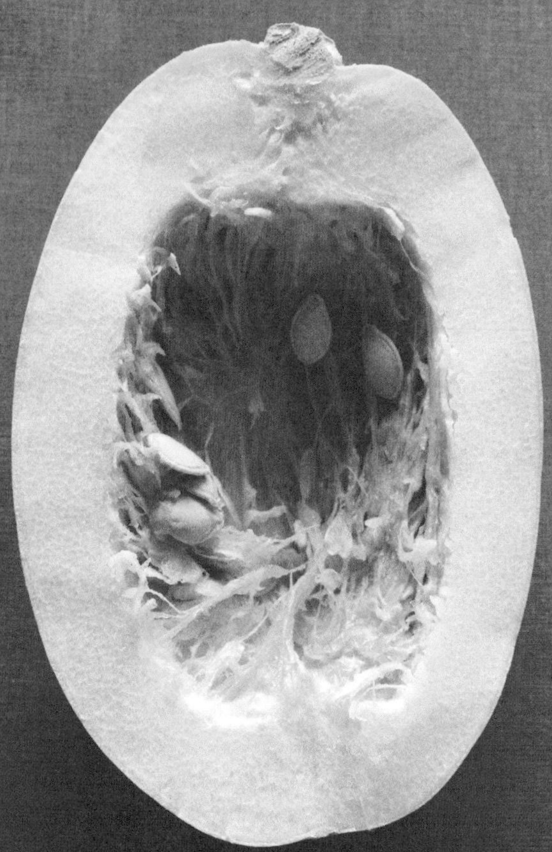

{ Crue
Cuite }

{ Crue
Cuites }

courge spaghetti

RECETTE P182

tomates italiennes braisées

RECETTE P183

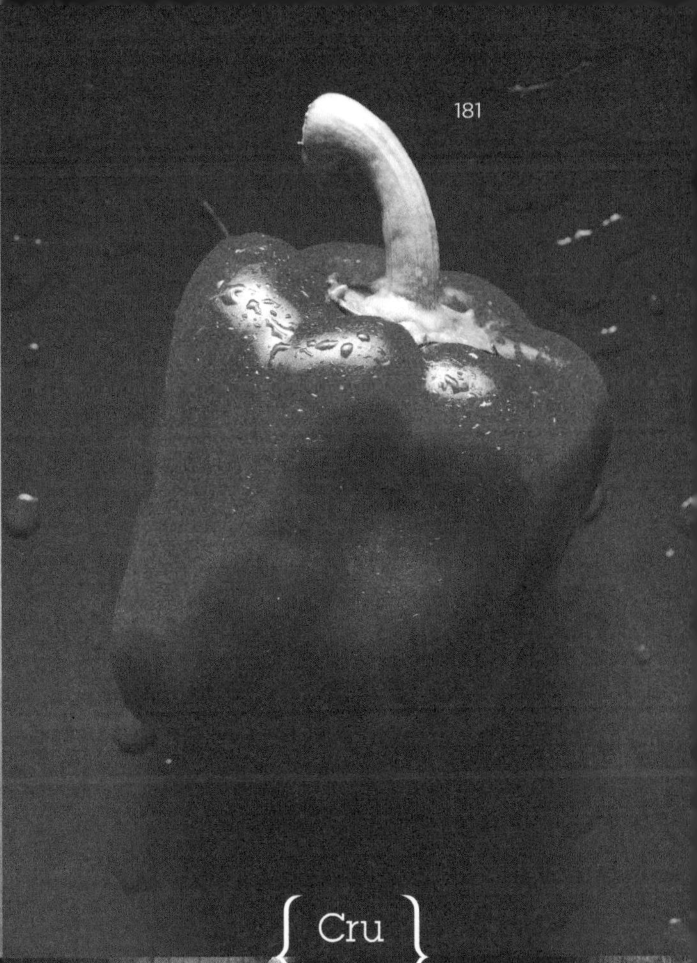

Crue
Cuites

Cru
Cuits

pommes de terre « au four »
RECETTE P184

poivrons « rôtis »
RECETTE P185

COURGE SPAGHETTI

Préparation 10 MINUTES ***Cuisson*** 6 HEURES ***Rendement*** 750 ML (3 TASSES)
Warm JUSQU'À 4 HEURES

La courge spaghetti fait un formidable légume d'accompagnement. Sans oublier qu'elle vous donne une excellente occasion de glisser le mot «cucurbitacée» dans une conversation. Pour un premier souper en amoureux, ça brisera la glace avant d'aborder la question des enfants.

1 courge spaghetti d'environ 1 kg (2,2 lb)
15 ml (1 c. à soupe) d'huile d'olive
Sel et poivre

1 Sur un plan de travail, couper la courge en deux. À l'aide d'une cuillère, retirer les graines. Huiler, saler et poivrer les cavités. Déposer dans la mijoteuse, face coupée vers le haut.
2 Couvrir et cuire à basse température (*Low*) 6 heures. On peut maintenir à réchaud (*Warm*) jusqu'à 4 heures.
3 Effilocher la chair à l'aide d'une fourchette. Délicieux avec de la sauce à spaghetti (p. 038 ou 121).

NOTE *On peut cuire* ***la courge Butternut*** *comme la courge spaghetti, soit pendant 6 heures à basse température (*Low*). Après la cuisson, on retire la chair et on la réduit en purée lisse au robot culinaire. Délicieux avec un poulet rôti ou une viande grillée.* ***La courge poivrée,*** *quant à elle, contient plus d'eau. Le temps de cuisson sera donc plus court, soit environ 3 heures à basse température (*Low*).*

TOMATES ITALIENNES BRAISÉES

Préparation 15 MINUTES *Cuisson* 4 HEURES *Rendement* 1 LITRE (4 TASSES)
Warm JUSQU'À 6 HEURES

On pense rarement à servir des tomates en accompagnement, mais celles-ci sont vraiment une belle occasion d'oser. Fondantes à souhait, elles gagnent en saveur et en richesse dans la mijoteuse. Servez-les avec un poisson blanc, sur des pâtes ou sur une focaccia.

1,6 kg (3 1/2 lb) de tomates italiennes, sans le pédoncule
30 ml (2 c. à soupe) d'huile d'olive
15 ml (1 c. à soupe) de vinaigre balsamique
Sel et poivre

1 Dans la mijoteuse, enrober les tomates d'huile. Placer les tomates à la verticale, de façon à ce que l'ouverture de la tomate soit vers le haut, en les tassant pour qu'elles ne tombent pas. Saler et poivrer généreusement. Arroser avec le vinaigre.
2 Couvrir et cuire à basse température (*Low*) 4 heures. On peut maintenir à réchaud (*Warm*) jusqu'à 6 heures.
3 Vous pouvez utiliser ces tomates pour faire la soupe *fagioli* (p. 027).

POMMES DE TERRE «AU FOUR»

Préparation 5 MINUTES ***Cuisson*** 4 À 6 HEURES (SELON LA GROSSEUR)
Portions 4 À 6 ***Warm*** JUSQU'À 4 HEURES

Un goût de patates au four... sans four? Oui, c'est possible, quand on les prépare à la mijoteuse. On obtient exactement la même texture. Ne reste plus qu'à les farcir avec un peu de ciboulette, de crème sure, de cheddar rapé et, hummm, de bacon.

4 à 6 grosses pommes de terre Russet, de même taille, bien lavées
15 ml (1 c. à soupe) d'huile d'olive

1 À l'aide d'une fourchette, piquer les pommes de terre. Déposer dans la mijoteuse et badigeonner avec l'huile.
2 Couvrir et cuire à basse température (*Low*) de 4 à 6 heures, selon la grosseur des pommes de terre. On peut maintenir à réchaud (*Warm*) jusqu'à 4 heures.

NOTE *On peut cuire les patates douces de la même façon, de 4 à 6 heures à basse température* (Low), *selon la grosseur des patates. Choisissez-les de la même taille pour obtenir une cuisson uniforme.*

POIVRONS «RÔTIS»

WARM
OUI

Préparation 25 MINUTES **Cuisson** 3 HEURES **Rendement** 750 ML (3 TASSES)
Warm JUSQU'À 6 HEURES **Se congèlent**

En saison, vous ne savez plus quoi faire avec tous les poivrons de votre potager ou ceux que vous avez achetés au marché? Sortez votre mijoteuse! Non seulement ces poivrons se congèlent très bien, mais ils sont parfaits dans les sauces et les salades, ou encore pour accompagner un morceau de viande. Et ils goûtent exactement la même chose que si vous les aviez préparés au four, mais sans les tracas ni les risques de peau collée.

1 kg (2,2 lb) de poivrons rouges entiers, lavés (de 6 à 10 selon la grosseur)

1 Dans la mijoteuse, placer les poivrons à la verticale, pédoncule vers le haut. Couvrir et cuire à basse température (*Low*) 3 heures. On peut maintenir à réchaud (*Warm*) jusqu'à 6 heures. Retirer les poivrons et laisser tiédir 10 minutes.
2 Couper les poivrons en deux. Retirer le cœur et épépiner. Enlever la peau.
3 Utiliser pour garnir des sandwichs, des salades ou dans une ratatouille.

NOTE *Pour congeler les poivrons «rôtis», les répartir à plat sur une plaque de cuisson tapissée de papier parchemin et congeler 2 heures. Quand ils sont gelés, les ranger dans des sacs à congélation à fermeture hermétique.*

desserts rétro

Vous avez été conquis par le gâteau au fromage ou le *sticky toffee pudding* du tome 1? Les desserts que je vous propose ici ne vous laisseront pas indifférent non plus. Ça surprend toujours les gens, mais la mijoteuse offre un environnement de cuisson idéal pour réussir des desserts impressionnants. Ceux de ce livre ont un côté nostalgique et réconfortant. Un pouding aux bleuets. Une crème caramel onctueuse à l'érable et un renversé à l'ananas comme celui que faisait ma mère. Vous avez bien lu. Tout le monde rit du renversé à l'ananas, mais personne ne peut y résister. Vous allez voir, le petit côté kitsch de la mijoteuse, ça a son charme!

Parce qu'on se garde toujours une petite place pour le dessert

RECETTE P191

grands-pères dans le sirop

GRANDS-PÈRES DANS LE SIROP

Préparation 30 MINUTES *Cuisson* 3 HEURES *Portions* 4
Warm *JUSQU'À 4 HEURES, LA SAUCE SEULEMENT

Juste pour l'odeur qu'il répand de la cuisine au deuxième étage, ce dessert-là vaut tous les efforts. Sans compter que, avec cette recette, vous serez assuré qu'il n'y aura pas de sirop de renversé sur la cuisinière.

Sauce
1 boîte de 540 ml (19 oz) de sirop d'érable
250 ml (1 tasse) d'eau
1 pincée de cannelle

Pâte
140 g (1 tasse) de farine tout usage non blanchie
15 ml (1 c. à soupe) de sucre
5 ml (1 c. à thé) de poudre à pâte
1 pincée de sel
55 g (1/4 tasse) de beurre non salé froid, coupé en dés
1 œuf, légèrement battu
15 ml (1 c. à soupe) de lait

1 POUR LA SAUCE Dans la mijoteuse, mélanger le sirop d'érable, l'eau et la cannelle. Couvrir et cuire à haute température (*High*) 2 heures. *À cette étape, on peut maintenir à réchaud (*Warm*) jusqu'à 4 heures.
2 POUR LA PÂTE Dans un bol, mélanger la farine, le sucre, la poudre à pâte et le sel. Ajouter le beurre en mélangeant du bout des doigts jusqu'à ce qu'il ait la grosseur de petits pois. Ajouter l'œuf et le lait. Mélanger pour obtenir une pâte homogène.
3 À l'aide d'une cuillère à crème glacée, former 8 boules de pâte et les déposer dans le sirop. Régler la mijoteuse à haute température (*High*). Couvrir et cuire 30 minutes. À l'aide d'une cuillère, tourner les boules de pâte et cuire 30 minutes supplémentaires.
4 Servir tel quel, avec de la crème glacée ou de la crème Chantilly.

RECETTE P194

gâteau pouding au chocolat

GÂTEAU POUDING AU CHOCOLAT

Préparation 40 MINUTES *Cuisson* 2 HEURES *Portions* 6
Warm JUSQU'À 2 HEURES

On sert ce gâteau au chocolat et sa sauce fudge avec une grosse boule de crème glacée à la vanille. C'est tellement bon que certains membres de l'équipe (que je ne nommerai pas) se sont littéralement cachés dans leur bureau pour en manger un deuxième pot.

Sauce

240 g (1 tasse) de cassonade légèrement tassée
25 g (1/4 tasse) de cacao
10 ml (2 c. à thé) de fécule de maïs
55 g (2 oz) de chocolat noir, haché grossièrement
180 ml (3/4 tasse) de crème 35 %
180 ml (3/4 tasse) d'eau
1 ml (1/4 c. à thé) d'extrait de vanille

6 pots Mason de 250 ml (1 tasse) à ouverture standard

Gâteau

70 g (1/2 tasse) de farine tout usage non blanchie
5 ml (1 c. à thé) de poudre à pâte
1 pincée de sel
55 g (1/4 tasse) de beurre non salé, ramolli
70 g (1/3 tasse) de sucre
20 g (3 c. à soupe) de cacao, tamisé
1 œuf
60 ml (1/4 tasse) de lait

1 POUR LA SAUCE Dans une casserole hors du feu, mélanger la cassonade, le cacao et la fécule. Ajouter le reste des ingrédients. Porter à ébullition en remuant à l'aide d'un fouet et laisser mijoter 10 secondes. Verser la sauce dans les pots, soit environ 90 ml (6 c. à soupe) par pot.

2 POUR LE GÂTEAU Tapisser le fond de la mijoteuse avec un linge propre pour empêcher les pots de claquer.

3 Dans un bol, mélanger la farine, la poudre à pâte et le sel. Réserver.

4 Dans un autre bol, crémer le beurre avec le sucre et le cacao au batteur électrique. Ajouter l'œuf et fouetter jusqu'à ce que le mélange soit homogène. À basse vitesse, ajouter les ingrédients secs en alternant avec le lait. À l'aide d'une cuillère à crème glacée d'une capacité de 60 ml (1/4 tasse), répartir la pâte sur la sauce.

5 Déposer les pots dans la mijoteuse. Verser de l'eau froide dans la mijoteuse jusqu'à la hauteur de la pâte dans les pots. Couvrir et cuire à haute température (*High*) 2 heures, ou jusqu'à ce qu'un cure-dents inséré au centre d'un gâteau en ressorte propre. On peut maintenir à réchaud (*Warm*) jusqu'à 2 heures. Retirer les pots de la mijoteuse et laisser tiédir 15 minutes.

6 Le gâteau pouding au chocolat se conserve 2 jours à la température ambiante.

NOTE *Si le gâteau pouding a été refroidi, placez-le environ 30 secondes au micro-ondes pour réchauffer la sauce avant de le servir. Il sera encore meilleur.*

POUDING AUX BLEUETS

Préparation 25 MINUTES *Cuisson* 3 HEURES *Portions* 8
Warm NON

Pour prolonger l'été, rien de tel que ce pouding fait à partir de bleuets surgelés. Non seulement il est très généreux en fruits, mais le gâteau est parfaitement moelleux.

Bleuets
105 g (1/2 tasse) de sucre
25 g (3 c. à soupe) de fécule de maïs
900 g (6 tasses) de bleuets surgelés
250 ml (1 tasse) d'eau

Pâte
175 g (1 1/4 tasse) de farine tout usage non blanchie
10 ml (2 c. à thé) de poudre à pâte
1 pincée de sel
125 ml (1/2 tasse) d'huile de canola
105 g (1/2 tasse) de sucre
1 citron, le zeste râpé seulement
2 œufs
125 ml (1/2 tasse) de lait

1 POUR LES BLEUETS Dans la mijoteuse, mélanger le sucre et la fécule. Ajouter les bleuets et l'eau. Bien mélanger. Réserver.
2 POUR LA PÂTE Dans un bol, mélanger la farine, la poudre à pâte et le sel. Réserver.
3 Dans un autre bol, mélanger l'huile avec le sucre et le zeste du citron au batteur électrique. Ajouter les œufs, un à la fois, et fouetter jusqu'à ce que la préparation soit homogène. À basse vitesse, incorporer les ingrédients secs en alternant avec le lait. À l'aide d'une cuillère à crème glacée ou d'une grosse cuillère, répartir la pâte en 8 grosses boules sur les bleuets.
4 Placer un linge propre et sec au-dessus du récipient de la mijoteuse sans toucher la pâte et y déposer le couvercle pour le tenir en place. Cette étape empêche que de l'eau se dépose à la surface du gâteau.
5 Cuire à haute température (*High*) 3 heures ou jusqu'à ce qu'un cure-dents inséré au centre du gâteau en ressorte propre. Retirer le couvercle et le linge et laisser tiédir 30 minutes. Servir tiède ou froid.

cobbler aux pêches

RECETTE P198

COBBLER AUX PÊCHES

Préparation 30 MINUTES ***Cuisson*** 3 HEURES ***Portions*** 6 À 8
Warm JUSQU'À 2 HEURES

La mijoteuse, c'est l'outil idéal pour l'étudiant ou le débutant qui réalise son premier dessert. Il aura beau y mettre tous les efforts du monde, il ne réussira jamais à brûler quoi que ce soit. Le truc pour obtenir un beau *crumble*? Déposer un linge à vaisselle propre et sec sous le couvercle de la mijoteuse pour absorber les gouttes de condensation: il sera juste assez croquant.

Pêches
40 g (3 c. à soupe) de sucre
15 ml (1 c. à soupe) de fécule de maïs
1 ml (1/4 c. à thé) de muscade moulue
900 g (2 lb) de pêches tranchées fraîches ou surgelées, coupées en deux (environ 7 tasses)

Crumble
100 g (1 tasse) de gros flocons d'avoine (voir note)
120 g (1/2 tasse) de cassonade légèrement tassée
35 g (1/4 tasse) de farine tout usage non blanchie
115 g (1/2 tasse) de beurre non salé, tempéré

1 POUR LES PÊCHES Dans la mijoteuse, mélanger le sucre, la fécule et la muscade. Ajouter les pêches, bien les enrober et répartir dans le fond de la mijoteuse.
2 POUR LE *CRUMBLE* Dans un bol, mélanger les flocons d'avoine, la cassonade et la farine. Ajouter le beurre et mélanger du bout des doigts jusqu'à ce que la préparation soit tout juste humectée. Parsemer le *crumble* sur les pêches.
3 Placer un linge propre et sec au-dessus du récipient de la mijoteuse sans toucher le *crumble* et y déposer le couvercle pour le tenir en place.
4 Cuire à haute température (*High*) 3 heures. On peut maintenir à réchaud (*Warm*) jusqu'à 2 heures. Retirer le couvercle et le linge. Laisser tiédir 30 minutes.

NOTE *À ne pas confondre avec le gruau minute ou le gruau rapide. Le gruau à gros flocons est plus craquant et plus long à cuire.*

POUDING AU PAIN AU CHOCOLAT

Préparation 25 MINUTES *Attente* 30 MINUTES *Cuisson* 3 HEURES
Portions 6 À 8 *Warm* NON

Bon. C'est vrai. Cette recette ne sera peut-être pas la plus belle visuellement, mais c'est certainement l'une des meilleures. Qu'on serve ce pouding chaud ou tiède, il disparaît généralement très, très vite.

120 g (1/2 tasse) de cassonade légèrement tassée
50 g (1/2 tasse) de cacao
15 ml (1 c. à soupe) de fécule de maïs
4 œufs
500 ml (2 tasses) de boisson d'amandes ou de lait
500 ml (2 tasses) de crème 10 %
300 g (6 tasses) de pain de campagne rassis, coupé en cubes
85 g (3 oz) de chocolat noir, haché grossièrement
85 g (3 oz) de chocolat au lait, haché grossièrement

1 Beurrer généreusement l'intérieur de la mijoteuse.
2 Dans la mijoteuse, mélanger la cassonade, le cacao et la fécule. Ajouter les œufs et bien mélanger au fouet. Ajouter graduellement la boisson d'amandes et la crème. Ajouter les cubes de pain, 55 g (2 oz) de chocolat noir et 55 g (2 oz) de chocolat au lait. Mélanger et laisser reposer 30 minutes. Garnir du reste des chocolats.
3 Placer un linge propre et sec au-dessus du récipient de la mijoteuse sans toucher la pâte et y déposer le couvercle pour le tenir en place. Cette étape empêche que de l'eau se dépose à la surface du gâteau.
4 Cuire à basse température (*Low*) 3 heures. Retirer le couvercle et le linge, et laisser tiédir 30 minutes. Servir chaud ou tiède.
5 Accompagner de crème fouettée ou de crème glacée.

plum pudding aux fruits

RECETTE P202

PLUM PUDDING AUX FRUITS

Préparation 55 MINUTES ***Macération*** 12 HEURES ***Cuisson*** 4 HEURES
Portions 12 ***Warm*** NON ***Le gâteau se congèle***

Habituellement, pour préparer un *plum pudding*, on a besoin d'un moule à pinces spécial qui va au four dans un bain-marie. Dans ce cas-ci, tout ce que ça vous demande, c'est un moule à pain (bon... et une mijoteuse), et le tour est joué. À servir comme un gâteau aux fruits avec beaucoup, beaucoup de sauce (la recette se double facilement).

Fruits
105 g (3/4 tasse) de raisins de Corinthe
145 g (3/4 tasse) d'abricots séchés, coupés en dés
140 g (3/4 tasse) de dattes Medjool dénoyautées, coupées en dés
145 g (3/4 tasse) d'oranges confites coupées en petits dés
180 ml (3/4 tasse) de jus d'orange
125 ml (1/2 tasse) de marsala ou de porto (voir note)
1 orange, le zeste râpé

Gâteau
210 g (1 1/2 tasse) de farine tout usage non blanchie
135 g (1 tasse) de poudre d'amandes
5 ml (1 c. à thé) de poudre à pâte
5 ml (1 c. à thé) de cannelle moulue
5 ml (1 c. à thé) de cinq-épices
115 g (1/2 tasse) de beurre non salé, ramolli
120 g (1/2 tasse) de cassonade légèrement tassée
2 œufs

Sauce
480 g (2 tasses) de cassonade légèrement tassée
250 ml (1 tasse) de crème 35 %
60 ml (1/4 tasse) de marsala ou de porto

1 POUR LES FRUITS Dans un bol, mélanger tous les ingrédients. Couvrir d'une pellicule de plastique et laisser macérer 12 heures ou toute une nuit à température ambiante. Égoutter (voir note).

2 POUR LE GÂTEAU Beurrer un moule à pain de 25 x 10 cm (10 x 4 po) et d'une capacité de 1,5 litre (6 tasses). Tapisser d'un papier parchemin en le laissant dépasser de deux côtés.

3 Dans un bol, mélanger la farine, la poudre d'amandes, la poudre à pâte et les épices. Réserver.

4 Dans un autre bol, crémer le beurre avec la cassonade au batteur électrique. Ajouter les œufs et fouetter jusqu'à ce que le mélange soit homogène. À basse vitesse ou à la cuillère de bois, incorporer les ingrédients secs et les fruits égouttés. Répartir la pâte dans le moule.

5 Placer dans la mijoteuse. Verser de l'eau froide dans la mijoteuse, jusqu'à la mi-hauteur du moule.

6 Placer un linge propre et sec au-dessus du récipient de la mijoteuse sans toucher la pâte et y déposer le couvercle pour le tenir en place. Cette étape empêche que de l'eau se dépose à la surface du gâteau.

7 Cuire à basse température (*Low*) 4 heures, ou jusqu'à ce qu'un cure-dents inséré au centre du gâteau en ressorte propre. Retirer de la mijoteuse et laisser refroidir complètement sur une grille avant de démouler.

8 POUR LA SAUCE Dans une petite casserole à feu moyen-élevé, porter tous les ingrédients à ébullition. Laisser mijoter 5 minutes. Verser dans une saucière ou un bol. Couvrir d'une pellicule de plastique et laisser tiédir. Conserver à température ambiante.

9 Le gâteau se conserve environ 2 semaines à la température ambiante. On peut aussi le congeler.

NOTE *Le marsala est un vin italien produit en Sicile. On peut ajouter le marsala qui a servi à faire macérer les fruits (voir étape 1) pour la sauce (voir étape 8).*

DULCE DE LECHE

Préparation 10 MINUTES ***Cuisson*** 8 HEURES
Rendement 4 POTS DE 250 ML (1 TASSE) ***Warm*** JUSQU'À 8 HEURES

Se lancer dans du *dulce de leche* à même la boîte de lait condensé, comme on le voit dans plusieurs recettes, peut donner des sueurs froides. (En fait, cette technique n'est pas recommandée par le fabricant.) Heureusement, on a trouvé une façon d'en cuisiner de façon sécuritaire, soit directement dans des pots Mason. Un vrai charme.

3 boîtes de 300 ml de lait condensé sucré
4 pots Mason de 250 ml (1 tasse)

1 Tapisser le fond de la mijoteuse avec un linge propre pour empêcher les pots de claquer.
2 Répartir le lait condensé sucré dans les pots. Centrer les couvercles (disques) sur les bocaux et visser la bague jusqu'au point de résistance, sans forcer. Déposer dans la mijoteuse. Ajouter de l'eau, tout juste pour couvrir les pots, soit environ 3 litres (12 tasses).
3 Couvrir et cuire à basse température (*Low*) 8 heures. On peut maintenir à réchaud (*Warm*) jusqu'à 8 heures.
4 Retirer les pots et les déposer sur un linge à vaisselle. Laisser refroidir complètement.
5 Servir sur de la crème glacée, des crêpes, du gâteau ou utiliser dans vos recettes préférées.
6 Le *dulce de leche* se conserve 6 mois à la température ambiante. Une fois ouvert, il se conserve au réfrigérateur environ 1 mois.

NOTE *Vous préférez un* dulce de leche *plus ambré ? Laissez-le mijoter plus longtemps en observant l'évolution de sa caramélisation à travers le pot de verre.*

CRÈME CARAMEL À L'ÉRABLE

Préparation 20 MINUTES ***Cuisson*** 1 H 30 ***Réfrigération*** 4 HEURES
Portions 4 ***Warm*** NON

Dès la première bouchée de cette crème caramel, vous vous demanderez où était la mijoteuse pendant toutes ces années (elle était dans le garage, entre vos habits de patinage artistique et votre album de finissants: ne lui faites plus jamais ça).

Caramel
105 g (1/2 tasse) de sucre
60 ml (1/4 tasse) de sirop d'érable
15 ml (1 c. à soupe) de sirop de maïs

Flan
2 œufs
1 jaune d'œuf
40 g (1/4 tasse) de sucre d'érable
250 ml (1 tasse) de lait
125 ml (1/2 tasse) de crème 35 %

1 POUR LE CARAMEL Dans une casserole, porter le sucre et les sirops à ébullition. Cuire sans remuer jusqu'à ce que le mélange prenne une couleur ambrée. Répartir dans 4 ramequins d'environ 250 ml (1 tasse) chacun. Laisser refroidir.
2 POUR LE FLAN Dans un bol, fouetter les œufs et le jaune d'œuf avec le sucre d'érable jusqu'à ce que le mélange soit homogène. Ajouter le lait et la crème. Bien mélanger. Verser dans les ramequins et les déposer dans la mijoteuse. Verser de l'eau froide dans la mijoteuse jusqu'à mi-hauteur des ramequins.
3 Couvrir et cuire à basse température (*Low*) 1 h 30 ou jusqu'à ce que le flan soit tout juste pris. Retirer les ramequins de la mijoteuse et les laisser tiédir. Couvrir d'une pellicule de plastique. Réfrigérer 4 heures ou jusqu'à refroidissement complet.
4 Au moment de servir, passer une lame de couteau tout autour du flan, renverser sur une assiette et servir froid.

BEURRE DE POMMES

Préparation 30 MINUTES ***Cuisson*** 8 HEURES ***Rendement*** 1,5 LITRE (6 TASSES)
Warm JUSQU'À 8 HEURES ***Se congèle***

Voici un autre grand classique à réaliser sans effort. Dans cette recette de beurre, la lente cuisson des pommes permet de les faire légèrement confire. Pour obtenir plutôt une consistance de compote, mélangez vigoureusement les pommes à la cuillère de bois dans la mijoteuse au lieu de les réduire en purée.

1,6 kg (3 1/2 lb) de pommes McIntosh, non pelées, épépinées et coupées en dés (12 tasses)
120 g (1/2 tasse) de cassonade légèrement tassée
30 ml (2 c. à soupe) de jus de citron
1 ml (1/4 c. à thé) de cannelle moulue

1 Dans la mijoteuse, déposer les pommes. Bien les enrober de la cassonade, du jus de citron et de la cannelle.

2 Couvrir et cuire à basse température (*Low*) 8 heures. On peut maintenir à réchaud (*Warm*) jusqu'à 8 heures.

3 Au goût, réduire les pommes en purée lisse au mélangeur.

4 Servir sur du pain grillé, du yogourt nature, du granola ou une tranche de gâteau à la vanille.

RENVERSÉ À L'ANANAS

Préparation 30 MINUTES ***Cuisson*** 3 HEURES ***Attente*** 30 MINUTES
Portions 8 ***Warm*** NON

Chaque fois que quelqu'un sert un renversé à l'ananas, c'est toute notre enfance qui nous revient. Les cerises au marasquin, la fierté de notre mère devant son dessert signature... C'est maintenant à votre tour de le réussir et, surtout, de renverser votre mijoteuse (un conseil: il faut s'y prendre à deux mains!).

Ananas
8 cerises au marasquin, coupées en deux, bien épongées
1 gros ananas, pelé et sans le cœur, coupé en dés (environ 6 tasses)
65 g (1/2 tasse) de sucre à glacer

Gâteau
210 g (1 1/2 tasse) de farine tout usage non blanchie
10 ml (2 c. à thé) de poudre à pâte
1 ml (1/4 c. à thé) de sel
115 g (1/2 tasse) de beurre non salé, ramolli
210 g (1 tasse) de sucre
2 œufs
180 ml (3/4 tasse) de yogourt nature 2 %

1 POUR L'ANANAS Placer les demi-cerises dans le fond du récipient de la mijoteuse, côté coupé vers le haut. Dans un bol, mélanger l'ananas avec le sucre à glacer. Répartir sur les cerises dans la mijoteuse.
2 POUR LE GÂTEAU Dans un bol, mélanger la farine, la poudre à pâte et le sel. Réserver.
3 Dans un autre bol, crémer le beurre et le sucre au batteur électrique. Ajouter les œufs, un à la fois, et fouetter jusqu'à ce que la préparation soit homogène. À basse vitesse, incorporer les ingrédients secs en alternant avec le yogourt. À l'aide d'une cuillère à crème glacée ou d'une grosse cuillère, répartir la pâte sur l'ananas.
4 Placer un linge propre et sec au-dessus du récipient de la mijoteuse sans toucher la pâte et y déposer le couvercle pour le tenir en place. Cette étape empêche que de l'eau se dépose à la surface du gâteau.
5 Cuire à haute température (*High*) 3 heures, ou jusqu'à ce qu'un cure-dents inséré au centre du gâteau en ressorte propre.
6 Retirer le couvercle et le linge et laisser tiédir 30 minutes. Passer une lame de couteau tout autour du gâteau. Placer une grande assiette de service au-dessus du récipient de la mijoteuse. Renverser la mijoteuse pour que le gâteau se retrouve dans l'assiette. Servir tiède ou froid.

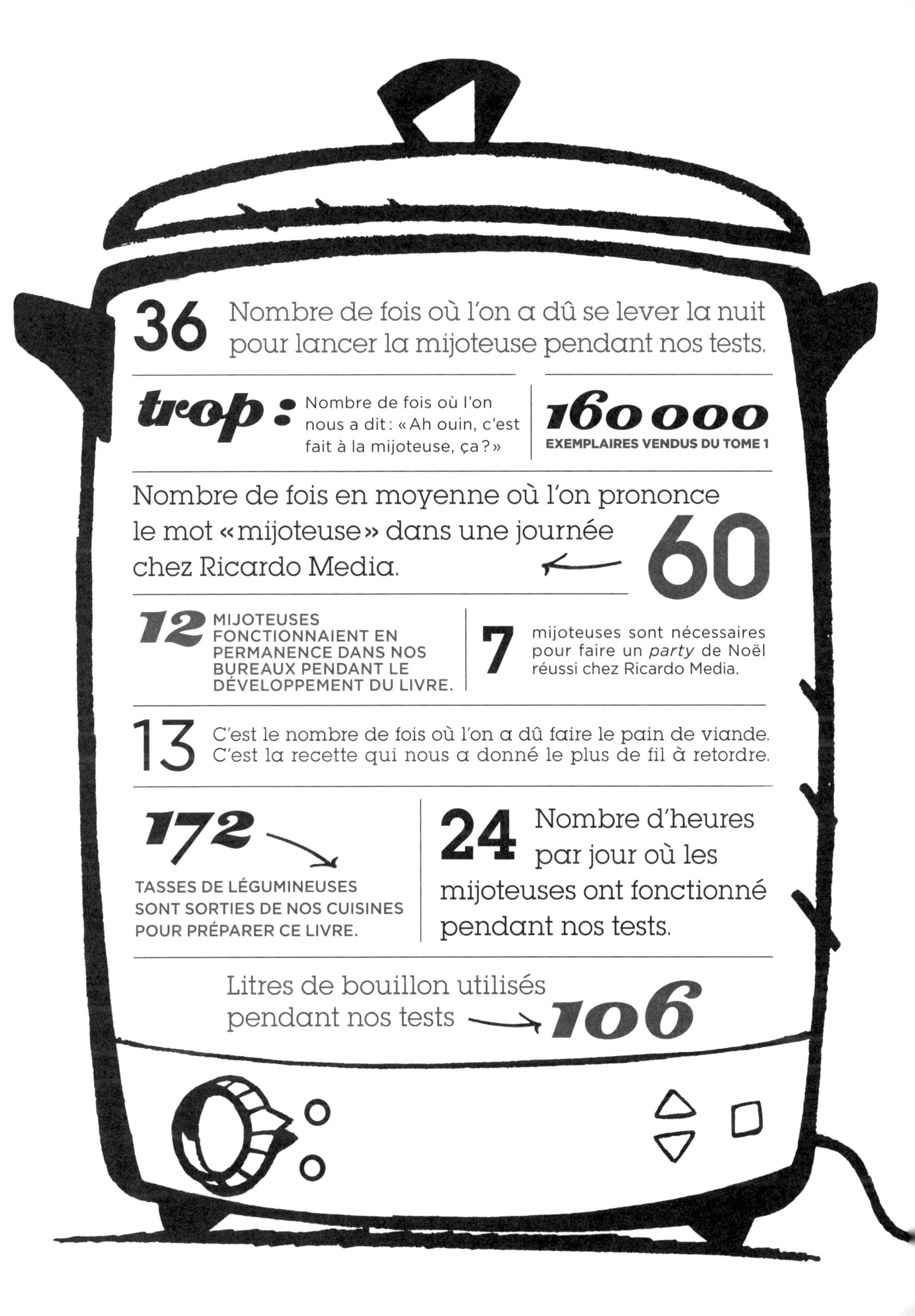
36 Nombre de fois où l'on a dû se lever la nuit pour lancer la mijoteuse pendant nos tests.
trop : Nombre de fois où l'on nous a dit : « Ah ouin, c'est fait à la mijoteuse, ça ? »
160 000 EXEMPLAIRES VENDUS DU TOME 1
Nombre de fois en moyenne où l'on prononce le mot « mijoteuse » dans une journée chez Ricardo Media. 60
12 MIJOTEUSES FONCTIONNAIENT EN PERMANENCE DANS NOS BUREAUX PENDANT LE DÉVELOPPEMENT DU LIVRE.
7 mijoteuses sont nécessaires pour faire un *party* de Noël réussi chez Ricardo Media.
13 C'est le nombre de fois où l'on a dû faire le pain de viande. C'est la recette qui nous a donné le plus de fil à retordre.
172 TASSES DE LÉGUMINEUSES SONT SORTIES DE NOS CUISINES POUR PRÉPARER CE LIVRE.
24 Nombre d'heures par jour où les mijoteuses ont fonctionné pendant nos tests.
Litres de bouillon utilisés pendant nos tests 106

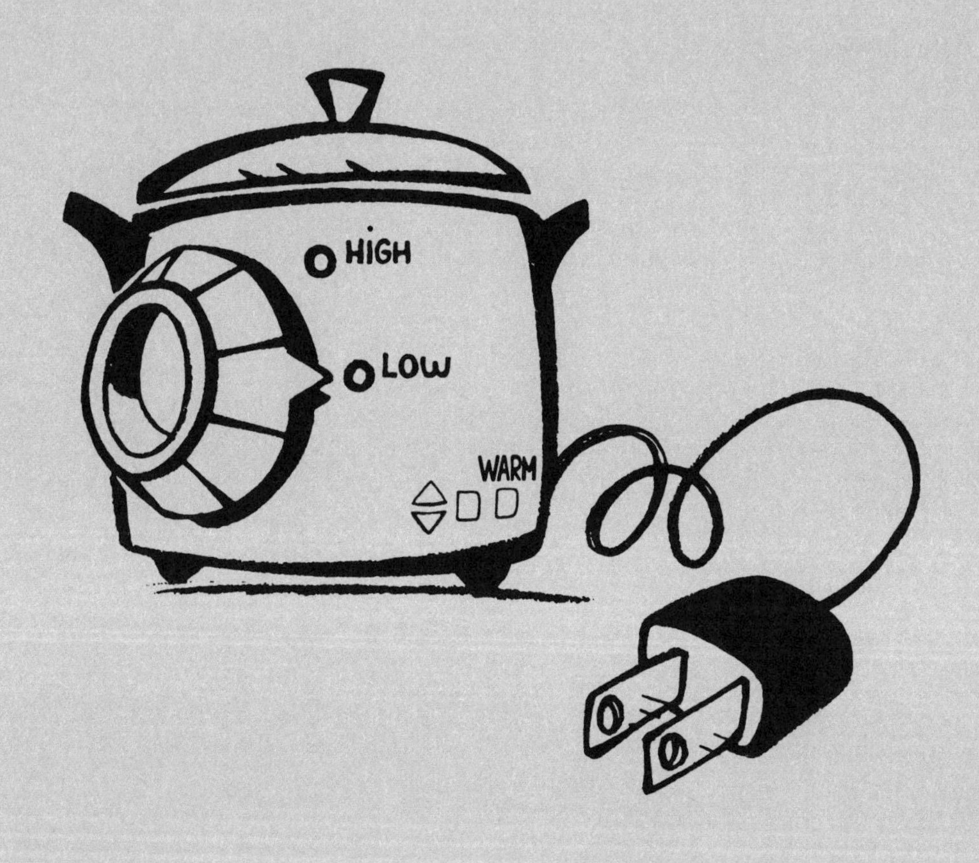
HIGH
LOW
WARM

Merci!

D'abord, merci à ma *gang* chez Ricardo Media : une équipe dévouée, bourrée de talents et de bon goût. Merci aussi à tous ceux qui ont travaillé de près ou de loin à ce magnifique livre. Je pense, entre autres, aux Éditions La Presse, qui m'accompagnent depuis mon premier livre. Et enfin, merci à vous, chers lecteurs, pour votre fidélité. Vos commentaires sur les médias sociaux, vos questions sur mon site Web et même nos discussions dans les allées de l'épicerie sont une des plus belles sources d'inspiration qui soient. Encore une fois, merci!

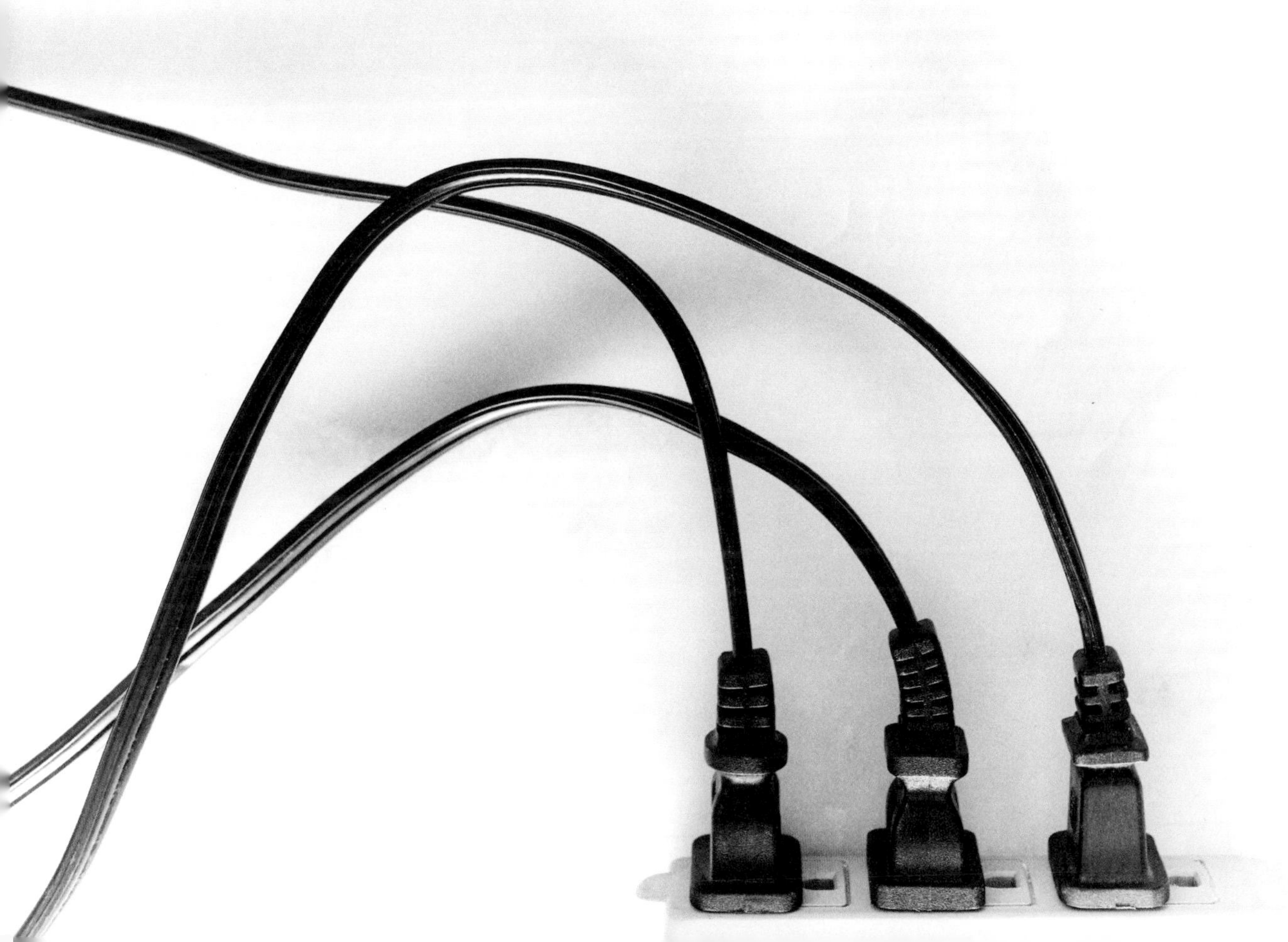

aghetti +++ Salade de légumineuses +++ Bœuf à la salsa +++ Jamb
ux pommes et à la moutarde +++ Pilaf à l'indienne +++ Sauce
omage et à la viande pour nachos +++ Chili blanc +++ Poulet a
) gousses d'ail +++ Aubergine fondante et œuf miroir +++ *Sloppy J*
e haricots +++ Gâteau plum pudding aux fruits +++ Calmars a
uttanesca +++ Rôti de dinde aux canneberges +++ Jarrets d'agne
onfits +++ Poivrons «rôtis» +++ Cari de lentilles et de courge +++ Gru
landais aux amandes, sirop d'érable à la cannelle +++ Pilons
oulet moutarde et miel +++ *Grilled cheese* de porc braisé +++ Sau
arinara +++ Chili aux pois chiches et au blé +++ *Cobbler* a
êches +++ Cassoulet +++ Pavés de saumon confits +++ Crèm
aramel à l'érable +++ Pommes de terre «au four» +++ Cari rou
agneau +++ Omelette soufflée aux champignons +++ Sala
e chou +++ Porc braisé aux dattes +++ Porc *adobo* +++ Lasag
égétarienne +++ Jambalaya +++ *Dulce de leche* +++ Effiloché de po
BQ +++ Poivrons farcis +++ Orge aux légumes +++ Jarrets d'agneau
tron et à la sauge +++ Gâteau pouding au chocolat +++ Tomates italienn
raisées +++ Pommes de terre déjeuner +++ Poulet teriyaki +++ Sau
spaghetti aux lentilles et aux champignons +++ Joues de bœuf à
outarde et aux pruneaux +++ Mijoté de bœuf à la bière et *dumplings*
heddar +++ Pilons de dinde confits +++ Grands-pères dans le sirop +++ Po
la coriandre +++ Sauce marinara +++ Soupe aux lentilles, au kale et a
atates douces +++ Pappardelles aux joues de bœuf +++ Salade de canc
onfit, de poire et de grenade +++ Pouding au pain au chocolat +++ Pou
u beurre +++ Purée de haricots noirs ou *refried beans* +++ Sou
e tofu aigre-piquante +++ Pommes de terre boulangère +++ Sou
choucroute» +++ Vol-au-vent au poulet +++ Salsa rapide +++ Pouding a
euets +++ Fromage assaisonné +++ Soupe tonkinoise +++ Rôti de dinde a
anneberges +++ Renversé à l'ananas +++ *Short ribs* au marsala +++ Sou
gioli +++ Cuisses de canard confites +++ Beurre de pommes +++ Cour
aghetti +++ Salade de légumineuses +++ Bœuf à la salsa +++ Jamb
ux pommes et à la moutarde +++ Pilaf à l'indienne +++ Sauce
omage et à la viande pour nachos +++ Chili blanc +++ Poulet a
gousses d'ail +++ Aubergine fondante et œuf miroir +++ *Sloppy J*
e haricots +++ Gâteau plum pudding aux fruits +++ Calmars a
uttanesca +++ Rôti de dinde aux canneberges +++ Jarrets d'agne
onfits +++ Poivrons «rôtis» +++ Cari de lentilles et de courge +++ Gru
andais aux amandes, sirop d'érable à la cannelle +++ Pilons de pou
outarde et miel +++ *Grilled cheese* de porc braisé aux dattes +++ Sau
arinara +++ Chili aux pois chiches et au blé +++ *Cobbler* a
êches +++ Cassoulet +++ Pavés de saumon confits +++ Crème carame
rable +++ Pommes de terre «au four» +++ Cari rouge d'agneau +++ Omele
ufflée aux champignons +++ Salade de chou +++ Porc braisé a
attes +++ Porc *adobo* +++ Lasagne végétarienne +++ Jambalaya +++ *Dul*
e leche +++ Effiloché de porc BBQ +++ Poivrons farcis +++ Orge a
gumes +++ Jarrets d'agneau au citron et à la sauge +++ Gâteau poudi
chocolat +++ Tomates italiennes braisées +++ Pommes de ter
éjeuner +++ Poulet teriyaki +++ Sauce à spaghetti aux lentilles et a

PAR CATÉGORIES

Déjeuners

Soupes et potages

Légumes et accompagnements

Sauces

Plats principaux

AGNEAU

BŒUF

CANARD

LÉGUMINEUSES

PÂTES

POISSON ET FRUITS DE MER

PORC

Desserts

paghetti +++ Salade de légumineuses +++ Bœuf à la salsa +++ Jamb
ux pommes et à la moutarde +++ Pilaf à l'indienne +++ Sauce
omage et à la viande pour nachos +++ Chili blanc +++ Poulet a
0 gousses d'ail +++ Aubergine fondante et œuf miroir +++ *Sloppy J*
e haricots +++ Gâteau plum pudding aux fruits +++ Calmars a
uttanesca +++ Rôti de dinde aux canneberges +++ Jarrets d'agne
onfits +++ Poivrons «rôtis» +++ Cari de lentilles et de courge +++ Gru
landais aux amandes, sirop d'érable à la cannelle +++ Pilons
oulet moutarde et miel +++ *Grilled cheese* de porc braisé +++ Sau
marinara +++ Chili aux pois chiches et au blé +++ *Cobbler* a
êches +++ Cassoulet +++ Pavés de saumon confits +++ Crèm
aramel à l'érable +++ Pommes de terre «au four» +++ Cari rou
agneau +++ Omelette soufflée aux champignons +++ Sala
e chou +++ Porc braisé aux dattes +++ Porc *adobo* +++ Lasag
égétarienne +++ Jambalaya +++ *Dulce de leche* +++ Effiloché de po
BQ +++ Poivrons farcis +++ Orge aux légumes +++ Jarrets d'agneau
tron et à la sauge +++ Gâteau pouding au chocolat +++ Tomates italienn
raisées +++ Pommes de terre déjeuner +++ Poulet teriyaki +++ Sau
spaghetti aux lentilles et aux champignons +++ Joues de bœuf à
outarde et aux pruneaux +++ Mijoté de bœuf à la bière et *dumplings*
heddar +++ Pilons de dinde confits +++ Grands-pères dans le sirop +++ Po
la coriandre +++ Sauce marinara +++ Soupe aux lentilles, au kale et a
atates douces +++ Pappardelles aux joues de bœuf +++ Salade de canc
onfit, de poire et de grenade +++ Pouding au pain au chocolat +++ Pou
u beurre +++ Purée de haricots noirs ou *refried beans* +++ Sou
e tofu aigre-piquante +++ Pommes de terre boulangère +++ Sou
choucroute» +++ Vol-au-vent au poulet +++ Salsa rapide +++ Pouding a
euets +++ Fromage assaisonné +++ Soupe tonkinoise +++ Rôti de dinde a
anneberges +++ Renversé à l'ananas +++ *Short ribs* au marsala +++ Sou
gioli +++ Cuisses de canard confites +++ Beurre de pommes +++ Cour
paghetti +++ Salade de légumineuses +++ Bœuf à la salsa +++ Jamb
ux pommes et à la moutarde +++ Pilaf à l'indienne +++ Sauce
omage et à la viande pour nachos +++ Chili blanc +++ Poulet a
0 gousses d'ail +++ Aubergine fondante et œuf miroir +++ *Sloppy J*
e haricots +++ Gâteau plum pudding aux fruits +++ Calmars a
uttanesca +++ Rôti de dinde aux canneberges +++ Jarrets d'agne
onfits +++ Poivrons «rôtis» +++ Cari de lentilles et de courge +++ Gru
andais aux amandes, sirop d'érable à la cannelle +++ Pilons de pou
outarde et miel +++ *Grilled cheese* de porc braisé aux dattes +++ Sau
arinara +++ Chili aux pois chiches et au blé +++ *Cobbler* a
êches +++ Cassoulet +++ Pavés de saumon confits +++ Crème carame
rable +++ Pommes de terre «au four» +++ Cari rouge d'agneau +++ Omele
ufflée aux champignons +++ Salade de chou +++ Porc braisé a
attes +++ Porc *adobo* +++ Lasagne végétarienne +++ Jambalaya +++ *Dul*
e leche +++ Effiloché de porc BBQ +++ Poivrons farcis +++ Orge a
gumes +++ Jarrets d'agneau au citron et à la sauge +++ Gâteau poudi
u chocolat +++ Tomates italiennes braisées +++ Pommes de ter

index
PAR CHAPITRES

Soupers de semaine

Party de tacos

Buffet indien

Party d'avant-match

PAR CHAPITRES

Brunch

Végé inspiré

Recevoir sans stresser

Confits savoureux

Légumes de compagnie

Desserts rétro

MIXTE
Issu de sources responsables
FSC
www.fsc.org
FSC® C011825